Madame Chose

{ Geneviève Pettersen }

VIE ET MORT DU COUPLE

Du *dating* au divorce

Catalogage avant publication de Bibliothèque et Archives nationales du Québec et Bibliothèque et Archives Canada

Pettersen, Geneviève, 1982-
Madame Chose : vie et mort du couple : du dating au divorce
ISBN 978-2-89705-277-5
1. Couples. 2. Relations entre hommes et femmes. I. Titre.
HQ737.P47 2014   306.872   C2014-941851-5

Présidente Caroline Jamet
Directeur de l'édition et éditeur délégué du livre Éric Fourlanty
Directrice de la commercialisation Sandrine Donkers
Responsable, gestion de la production Carla Menza
Communications Marie-Pierre Hamel

Conception graphique et mise en page Célia Provencher-Galarneau
Illustrations Estelle Bachelard
Photos de l'auteure Hugo-Sébastien Aubert
Révision linguistique Marie-Eve Boulanger-Desbiens
Correction d'épreuves Nadia Ali-Khodja

L'éditeur bénéficie du soutien de la Société de développement des entreprises culturelles du Québec (SODEC) pour son programme d'édition et pour ses activités de promotion.

L'éditeur remercie le gouvernement du Québec de l'aide financière accordée à l'édition de cet ouvrage par l'entremise du Programme de crédit d'impôt pour l'édition de livres, administré par la SODEC.

Nous reconnaissons l'aide financière du gouvernement du Canada par l'entremise du Fonds du livre du Canada (FLC).

Nous remercions le Conseil des arts du Canada de l'aide accordée à notre programme de publication.

LES ÉDITIONS **LA PRESSE**
Les Éditions La Presse
7, rue Saint-Jacques
Montréal (Québec)
H2Y 1K9

Madame Chose
{ Geneviève Pettersen }

VIE ET MORT DU COUPLE

Du *dating* au divorce

LES ÉDITIONS **LA PRESSE**

TABLE DES MATIÈRES

LA PtIITE SIRÈNE ET MOI II

EN QUÊTE DE L'ÂME SŒUR 21

La première impression 26
Les choses à ne pas dire ou faire durant
    une première *date* 27
La pire *date* de ma vie 29
Recette miracle pour écourter une *date*
    qui se déroule mal 33
Trois *dates* de rêve 34
Votre attirance pour les mauvais garçons 37

LA MAGIE DU DÉBUT 41

Test: Êtes-vous fait pour être en couple 42
L'officialisation 45
Les signes qui ne trompent pas 47
Sexemania 48
La première chicane 50
L'écosystème 53

LA VIE À DEUX 55

La liste 58
Emménager ensemble 61
Les pièges de la vie à deux 65
Le mythe de la communication 66
Quatre phrases pour se sortir de la *marde* 70
La belle-famille 71
L'argent 74
Les rénos 76
Le ménage 79
Le maudit lavage 82
Les animaux de compagnie 84
Le SPM: tempère et obtempère 87
Le Mulligan 89
Toutes des germaines 92
Les régimes 95
Le corps qui change 97
L'infidélité 100
Raviver la flamme 102

LA REPRODUCTION 105

Quand le désir d'enfant n'y est pas 108
Passer à l'acte 110
L'infertilité: une bombe pour le couple 112

LA MERVEILLEUSE AVENTURE DE LA GROSSESSE 115

Le premier trimestre 117
Le deuxième trimestre 119
Le troisième trimestre 120

L'ACCOUCHEMENT...121

LA MORT D'UN ENFANT...129

SURVIVRE À LA VIE DE FAMILLE..............................133
Le sexe (!) après les enfants.......................................136
Avoir une vie en dehors de son couple....................137
Les crises (ou dormir sur le divan).............................139
Les couples qui durent...142
Demeurer ensemble à tout prix...................................146
La thérapie de couple...148
Les couples qui n'arrêtent
    pas de reprendre ensemble....................................150

LA SÉPARATION 151
Êtes-vous mûrs pour le divorce?...............................152
Divorcer en cinq étapes faciles..................................153
Épargnez les enfants..156
La pension alimentaire...158
Le *party* de divorce...159
Divorcer en toute conscience......................................161

CE N'EST QU'UN AU REVOIR.....................................165

LA PETITE SIRÈNE ET MOI

Le couple m'a toujours fascinée. Petite, je me rappelle que je regardais *La petite sirène* en me disant que moi aussi, je trouverais mon Prince Éric. Dans ce temps-là, j'habitais à Rivière-du-Moulin et, derrière la maison familiale, il y avait un petit bois qui descendait jusqu'à la rivière Saguenay. Ma mère n'aimait pas beaucoup que je joue dans le bois. C'était dangereux de glisser sur les grosses roches qui longent la rivière ou de rencontrer un maniaque. Mon père, lui, m'encourageait à y aller. Il était moins peureux que ma mère, et il a toujours voulu faire une fille de bois avec moi.

Mon père me disait de suivre le sentier qui menait à la rivière Saguenay et de lui ramener des salamandres des bois et des têtards si j'en voyais. Il y avait un étang à mi-chemin entre la maison et le Saguenay. Et il se remplissait à chaque printemps de têtards et de nénufars à fleur jaune. Pour arriver jusqu'à l'étang, je devais marcher dix minutes dans le sentier avec les aulnes, les bébés bouleaux et les épinettes noires. Personne l'élaguait vraiment, le sentier, ça fait que je me râpais souvent les jambes ou la face après les branches d'arbres.

Vous vous demandez sûrement pourquoi je vous raconte une histoire de bois pis de salamandres dans un livre sur le couple. C'est parce que moi, je n'allais pas passer mes grands après-midis sur le bord de l'étang pour chasser des bibittes gluantes pis les ramener à mon père. J'y allais pour rêvasser au Prince Éric.

Au bord de la mare, il y avait une roche lisse sur laquelle je m'étendais. Là, poussée par un romantisme un brin pathétique, je chantais toutes les tounes de *La petite sirène*. J'étais sur la roche et j'imaginais qu'elle surplombait l'océan. J'avais les cheveux rouges, mon père m'empêchait de sortir avec le gars de mes rêves et la méchante sorcière des mers allait m'aider à le séduire en échange de ma voix. Mais moi, je n'échouerais pas comme Ariel. Que non. J'allais envoûter le Prince Éric avec mes battements de cils et mon chandail Boca. Mon prince serait tellement obnubilé par ma beauté qu'il ne remarquerait pas la maudite sorcière déguisée en Cindy Crawford qui se pointerait pour m'empêcher d'atteindre mon but. Je veux juste préciser, ici, que j'avais environ 10 ans. Que celui qui n'a jamais péché me jette la première pierre.

J'avais 10 ans, donc, et je chantais le répertoire complet de la princesse Ariel couchée sur une immense roche dans le petit bois en arrière de ma maison. J'ai fait ça tout l'été, jusqu'à ce qu'un petit voisin se pointe avec trois de ses chums. Les garçons étaient en route pour le Saguenay et ils transportaient des cannes à pêche et un seau à poissons. Rendu à ma hauteur, le voisin s'est arrêté. Je ne sais pas s'il m'avait entendu m'époumoner en me prenant pour une sirène, mais il m'a demandé si je serais encore sur ma roche le lendemain après-midi. J'ai dit que oui, pis lui a répondu qu'il viendrait me rejoindre sans ses amis. Après, il a couru pour rattraper le reste du groupe et j'ai regardé les garçons disparaître dans la dernière courbe du sentier, celle juste avant la clôture qu'on devait enjamber si on voulait se rendre jusqu'au bord de la rivière Saguenay sans passer par les roches tueuses d'enfants.

Le lendemain midi, je me demandais ce que j'allais porter pour éblouir le voisin. Même si on allait à la même école, je ne le connaissais pas beaucoup, ce petit gars-là. Il avait un an de plus vieux que moi et, à cet âge, c'est comme avoir 30 ans de différence. Je savais juste qu'il s'appelait Mathieu et que ses parents travaillaient à l'hôpital Chicoutimi.

J'ai choisi une camisole mauve, des shorts en jeans avec le bas éffiloché et mes Stan Smith. Dans mes oreilles, les gros anneaux en fer blanc que ma mère m'avait achetés au Ardène en soupirant. J'allais me déchirer le lobe d'oreille avec ça, elle m'avait dit. J'ai décidé de laisser mes cheveux lousses. Ils n'étaient pas rouges comme Ariel, mais ils étaient longs. Les gars aiment ça, les cheveux longs, je me disais.

Je n'ai pas attendu longtemps sur ma roche. Mathieu s'est pointé quinze minutes après que je sois arrivée. Je le trouvais beau avec ses cheveux frisés bruns, ses grands yeux verts et ses cils de papillon. À cause de ses cils, il ressemblait à Bambi. Sauf que Bambi ne portait pas de t-shirt des Transformers. Mathieu m'a demandé quel âge j'avais. «Onze ans», j'ai dit. J'ai menti parce que ça ne me tentait pas qu'il me trouve bébé lala. Il m'a dit qu'il me trouvait *cute* et m'a demandé si j'aimais ça jouer au aki. Ça adonnait que oui. En plus, j'étais super bonne et je m'en allais l'impressionner avec tous les trucs que je savais faire avec sa boule brodée.

Je me suis levée, suis impérialement descendue de ma roche et je l'ai rejoint dans le sentier. C'est moi qui ai commencé à jouer en premier. J'ai réussi à kicker dans le aki au moins cinq minutes et à faire plein de passes avec. Je n'en revenais pas. Je n'avais jamais été aussi bonne. Mathieu s'est essayé tout de suite après moi, et il l'a échappé au bout de deux minutes même pas. On a continué à jouer de même une bonne demi-heure, jusqu'à temps que le ciel se couvre. L'orage s'en venait et c'était le temps de rentrer chez nous avant qu'il commence à mouiller.

On a remonté le sentier ensemble et, juste avant d'arriver aux maisons, dans le bout du chemin où nos parents ne pouvaient pas encore nous apercevoir, Mathieu m'a embrassée. Pas un petit bec sec, un vrai *french*. Je ne savais pas trop quoi faire avec sa langue qui tournait dans ma bouche et j'étais bien énervée parce que je n'avais jamais frenché un gars de ma sainte vie. Quand on a eu fini, Mathieu s'est essuyé la bouche avec le bas de son t-shirt et j'ai fait la même affaire pour pas avoir l'air de la fille qui n'a jamais embrassé personne. Mathieu m'a demandé mon numéro de téléphone. On n'avait pas de papier, il le retiendrait par cœur. Je lui ai répété mon numéro quatre fois pour être certaine qu'il ne l'oublie pas et j'ai marché jusqu'à chez nous avec le cœur qui battait vite. J'espérais que ma mère soit partie au centre d'achats. J'étais certaine que ça me paraissait dans la face que je venais de frencher un gars pour la première fois. Mon souhait a été exaucé. Ma mère est revenue deux heures plus tard avec des nouveaux draps pour mon lit, des bobettes Jockey et quatorze paires de bas. Les bobettes étaient pour elle, mais les bas m'appartiendraient. La sécheuse avait avalé les anciens et mon tiroir était rempli de bas orphelins.

Je suis restée à côté du téléphone toute la journée, le lendemain, même si ma mère me répétait d'aller jouer dehors, que ça n'avait pas d'allure de rester enfermée en dedans. Il faisait beau soleil et la piscine était à 82. J'ai inventé que j'avais mal au ventre pour qu'elle me lâche et je lui ai dit que ça me tentait de rester relaxe dans ma chambre. Ma mère m'a apporté une bouillotte d'eau chaude et m'a dit qu'elle serait dehors en train de se faire griller si jamais j'avais besoin de quelque chose.

Tout l'après-midi, je regardais l'horloge et j'inventais toutes sortes de raisons à Mathieu pour justifier le fait qu'il ne me téléphonait pas :

Il avait oublié mon numéro.

Ses parents l'avaient obligé à venir avec eux en quelque part.

Il était en punition.

Il était malade.

Il était mort.

L'après-midi suivant, j'ai marché dans le petit sentier jusqu'à l'étang. Je me disais que Mathieu viendrait sûrement me rejoindre, vu qu'il avait oublié mon numéro de téléphone. En l'attendant, je chantais les tounes de *La petite sirène*. J'avais mis du parfum à ma mère, je sentais la guidoune et je me faisais manger par les maringouins. Avant de partir, j'avais entendu le monsieur de la radio, dans la cuisine. Il annonçait un risque de chaleur accablante. Les enfants, les vieux et les femmes enceintes devaient s'hydrater et rester à l'ombre. Ma mère m'avait donné une bouteille d'eau et une espèce de chapeau de débile avant que je sorte, et elle m'avait fait jurer que je ne resterais pas longtemps au gros soleil. J'ai enlevé le chapeau dès que j'ai eu la certitude que ma mère ne pouvait plus me voir par la fenêtre de la cuisine.

Les têtards de l'étang étaient rendus avec des pattes. Ils se transformeraient en grenouilles vertes dans pas long. Je me demandais si les framboises de madame Imbault étaient mûres. Quand Mathieu se pointerait, on irait voir et on lui en volerait. Elle ne s'en rendait jamais compte quand je prenais des framboises dans son jardin. C'est parce qu'elle était très vieille et ne sortait plus jamais de chez elle. Dans le quartier, les femmes disaient que Madame Imbault avait passé cent ans et qu'elle était rendue presque complètement sourde et aveugle. À cause de ça, je ne me sentais pas trop mal de cueillir ses framboises. De toute façon, la bonne femme Imbault n'était pas capable de les prendre et elles finissaient toutes dans le gazon où mangées par les suisses et les pies.

Je pense que je suis restée assise sur ma roche à attendre Mathieu jusqu'à cinq heures du soir. J'avais chaud et il ne me restait plus d'eau dans ma bouteille. Pour passer le temps, je regardais les têtards nager et les libellules bleues qui venaient boire dans l'étang. Je m'imaginais en robe de mariée avec un voile transparent. La robe, je la voulais avec une traîne tellement longue que six demoiselles d'honneur seraient obligées de me suivre pour la tenir. J'aurais un bouquet de roses rouges comme Ariel à la fin du film et on lâcherait des colombes à la sortie de la cathédrale de Chicoutimi. Mathieu et moi, on partirait de l'église en limousine rose et on s'envolerait pour Hawaï. C'était mon rêve d'aller là depuis que j'avais vu un paradis tropical dans l'annonce des barres de chocolat Bounty.

Mathieu ne s'est pas pointé sur le bord de l'étang. Il ne m'a jamais appelée non plus. Je me demandais ce que j'avais fait de mal. Peut-être que j'étais poche pour embrasser. Peut-être qu'il me trouvait laide, finalement. Toujours est-il qu'environ une semaine après notre *french* dans le sentier, alors que j'étais assise sur ma roche à me demander ce que j'avais fait au bon Dieu pour que Mathieu ne tripe pas sur moi, je l'ai vu qui descendait à la pêche avec ses amis, les mêmes que la dernière fois. J'ai crié son nom et il a fait semblant de ne pas me reconnaître. Quand les garçons sont passés proches de moi, Mathieu a détourné le regard pis un des garçons lui a chuchoté de quoi dans l'oreille. Les quatre m'ont regardée et ont pouffé de rire en poursuivant leur route. C'est là que j'ai compris que l'amour, c'était pas mal plus compliqué que je pensais.

Que les choses soient claires, ce n'est pas parce que le petit maudit Mathieu ne m'a plus jamais adressé la parole de sa vie après qu'on se soit embrassé et qu'il s'est pogné une autre petite voisine avant la fin de l'été que j'ai renoncé à l'amour par la suite. Il me semble qu'après lui, ma vie fut une interminable quête amoureuse. Il y a eu Pierre-Michel, François, Philippe, Jean-François, Keven, Jean-Nicolas, Pascal, Sébastien, Jean-Philippe, Pierre-Luc, Marc, Gabriel, André, Alexandre, Charles et Charles-Alexandre. Et j'en oublie sûrement[1].

Ce qu'il faut surtout retenir, ici, c'est que jusqu'à ce que je rencontre Délicieux Mari, j'étais à la recherche de la perle rare, celle avec qui j'allais fonder une famille, payer une hypothèque toujours à temps et élever des portées d'escargots. J'avoue avoir songé plusieurs fois avoir rencontré l'homme

---

[1] Si vous m'avez déjà frenchée et que j'ai omis de vous nommer, ça veut sûrement dire que vous n'embrassiez pas très bien.

de ma vie. Même qu'une fois, j'ai fabriqué un enfant avec un garçon ordinaire déguisé en Prince Éric. Oui, j'ai eu une vie avant Délicieux Mari.

Ce que je vais vous conter, dans ce livre, c'est un peu mes épopées amoureuses. Mon petit doigt me dit qu'elles ressemblent un brin aux vôtres et que vous vous y reconnaîtrez souvent. Je vais vous entretenir sur ma mère, ses sœurs, nos voisins pis nos voisines, aussi. Parce que je suis intimement convaincue que les histoires de bonnes femmes sont parfaites pour nous faire comprendre le bon sens et pour nous jeter la vérité en pleine face. Je vais vous raconter ma rencontre avec Délicieux Mari, mon mariage, la naissance de mes enfants. Je vais vous parler de nos chicanes, des rénos qui n'en finissent plus de finir et des sujets que nous évitons d'aborder en général dans notre couple. Je vais aussi vous confier des affaires sur ma séparation d'avec le père de ma première fille. Oui, on va jaser des aspects moins roses de la vie à deux aussi. Et ça ne sera pas toujours plaisant.

N'allez pas penser que cet ouvrage vous ouvrira toutes grandes les portes d'un mariage long et heureux. Mon livre n'est pas un énième mode d'emploi pour faire durer son couple et raviver la flamme. C'est juste ce que je pense des relations amoureuses et ce que j'ai appris à force de vivre avec une autre personne et de répondre à un courrier du cœur. Et, soyons honnête, ça ne veut pas dire que, parce que j'ai actuellement l'intime conviction que je terminerai ma vie aux côtés de Délicieux Mari, le démon du midi ne s'emparera pas de l'un de nous à un moment donné. Ça ne veut pas dire non plus que des crises majeures, on n'en traversera pas. Je dirais même que c'est certain qu'on va en traverser[2]. Après tout, vivre à deux, c'est pas mal l'affaire la plus compliquée de l'univers et, même quand tout va bien, ça peut se mettre à aller vraiment mal du jour au lendemain. Ça fait qu'il se peut

---

2   D'ailleurs, j'en vois une poindre à l'horizon puisque Délicieux Mari a encore laissé sa vaisselle sale traîner dans l'évier de la cuisine.

qu'un jour, vous lisiez ce livre et tombiez sur une rubrique du *Écho-vedettes* qui annonce mon divorce imminent. Ce sont des choses qui arrivent. J'aime mieux être transparente avec vous. J'espère quand même que Délicieux Mari ne me quittera jamais pour une mannequin scandinave de 22 ans et que je ne succomberai pas aux charmes irrésistibles du fils cégépien du quatrième voisin à gauche.

EN QUÊTE DE L'ÂME SŒUR

Je le sais, vous êtes désespéré/es. Vous cherchez un chum ou une blonde à tout prix et êtes prêt/es à tout pour rencontrer l'âme sœur, ou du moins quelqu'un qui ne sent pas trop mauvais de la bouche et avec qui vous pourriez éplucher le contenu de Netflix sans prise de bec. Tous les magazines et les livres vous le diront : c'est dans votre entourage que vous avez le plus de chances de rencontrer l'élu. Alors écumez vos ami/es, les ami/es de vos ami/es. Laissez faire les ami/es des ami/es de vos ami/es, par contre. Ça commence à faire loin.

Pour moi, l'endroit parfait pour chasser la tendre moitié, c'est le bureau. C'est logique parce que se retrouvent au même endroit des gens qui partagent la même réalité et qui ont beaucoup d'intérêts communs. Avoir des affinités, c'est quand même important dans un couple. La seule affaire, c'est que mélanger le travail et l'amour peut s'avérer compliqué et, parfois, désastreux. Pensons à toutes ces femmes mises à la porte sous de faux prétextes à la suite d'une aventure sulfureuse avec un supérieur hiérarchique[3]. Je veux dire, c'est bien plaisant de se faire aller sur la photocopieuse le temps que ça dure mais, quand l'idylle bat de l'aile, ça devient pas mal moins drôle de croiser à la machine à café celui dont on souhaite secrètement la mort par égossage. Pensez-y donc avant d'entreprendre une relation avec un confrère ou une consœur de travail.

---

3 Si une telle situation se produit, il est clair que votre patron est un goujat et qu'une plainte aux normes du travail s'impose. Ça lui apprendra à vouloir se débarrasser de vous. En plus, vous pourrez porter un décolleté en cour. Les juges aiment ça.

Une fois que vous aurez fait le tour de votre cercle d'ami/es et que vous aurez épluché la candidature de vos collègues sans succès, il vous reste tout de même quelques alternatives. Tout le monde sait que les bars ne sont pas une destination de choix lorsque vient le temps de rencontrer un humain qui désire s'engager véritablement. Mais sachez que j'ai rencontré Délicieux Mari dans un bar. Je le sais, ça vous mélange. « Faites ce que je dis, pas ce que je fais », dirait ma mère.

Les bars, on disait. Ça se peut rencontrer quelqu'un de correct là-dedans. Et pour vous aider à séparer le bon grain de l'ivraie, je vais vous donner mes trucs. Vous devez fuir si :

Votre prospect semble s'être fait blanchir les dents. Il ne faut jamais se fier au monde qui triche avec la blancheur de leurs dents. Je ne possède aucune donnée scientifique sur la question, mais disons que toutes les dents étincelantes que j'ai rencontrées étaient des maudits *players*.

Dents blanches = sournois

Retenez ça.

Votre prospect vous offre de vous payer un verre et il commande le drink le plus *cheap*. C'est pas qu'on soit poule de luxe. Au contraire. C'est juste qu'il ne nous a pas demandé notre avis et que son côté *cheap* ne regarde pas bien pour la suite. Je veux dire, qui a le goût de se ramasser au Rona avec une personne qui va choisir du plancher flottant imitation bois exotique, sans nous consulter, pour que ça coûte moins cher ?

Les bodybuildés. Fuyez. Sérieusement. Partager son existence avec une personne obsédée par le levage de fonte et les *milkshakes* aux protéines de soja, c'est lassant. Même en vacances, ce monde-là ne déroge pas de leurs douze blancs d'œufs matinaux et de la politique tolérance zéro. Je ne sais pas pour vous mais moi, quand je vais à Cancun, j'aime ça boire beaucoup d'alcool et me lâcher lousse dans le bar à pain.

Les gars ou les filles avec des manches de *tattoos*. C'est juste tellement 2012.

En dehors de ça, vous pouvez y aller selon votre instinct. Gardez cependant en tête que celui-ci peut vous tromper vers trois heures du matin, après que vous ayez absorbé une quantité non négligeable de boisson.

Après les bars viennent inévitablement les fameux sites de rencontre. Je ne vais pas m'étendre sur le sujet puisque, personnellement, je n'ai jamais été membre d'un tel site. Tout ce que j'en sais, c'est ce que mes amies de filles m'en ont raconté. Et ce n'est pas glorieux glorieux. Bon, là vous allez me sortir que la cousine de votre belle-sœur a rencontré son mari sur Réseau Contact, qu'ils sont mariés et qu'ils ont trois merveilleux enfants blonds. Mais avouez que pour un conte de fées, il y a 200 histoires poches. Prenez mon amie Myriam. Elle a été deux ans sur ces maudits sites-là et elle est encore célibataire. Pourtant, Myriam est une très jolie fille propre sur elle avec un bon emploi, des REER et même un condo dans le Mile End.

Elle en a rencontré des hommes sur les sites de rencontre, mon amie. Au moins un par semaine. Parfois deux. Passons sous silence les hommes qui étaient loin de ressembler à leur photo de profil, les menteurs pathologiques, les obsédés sexuels et les gars mariés. Des prétendants qui ont de l'allure, il y en a en masse. Et quand je lui ai demandé comment ça se faisait qu'il n'y en avait pas un qui faisait son affaire, elle m'a répondu la chose suivante : « C'est pas qu'aucun homme ne me tape dans l'œil, c'est juste que je me demande toujours si un meilleur match est possible. Comment je peux savoir si l'homme que je rencontrerai mardi prochain ne sera pas mieux que celui-ci ? » Boum. Myriam venait de mettre le doigt sur le bobo. Elle était devenue une dateuse en série. Accro au Réseau Contact, elle était incapable d'arrêter son choix sur un seul homme. C'est ça le risque, avec les sites de rencontre. On a tellement de plaisir à faire ses emplettes dans le magasin de bonbons qu'on a souvent de la difficulté à revenir à la réalité, à savoir cinq à dix portions de légumes et fruits par jour, en masse de protéines et un brin de glucides complexes. Trop de choix, c'est comme pas assez. Retenez ça !

Trêve de métaphores alimentaires douteuses. Vous avez épluché votre carnet d'adresses et celui de vos ami/es, considéré tous vos collègues de travail, sillonné les bars et ausculté toutes les fiches des célibataires habitant dans un rayon de 500 kilomètres de votre appartement, mais sans succès. Là, je ne sais plus quoi vous dire. Peut-être que de vous inscrire à un atelier de cuisine italienne ou à des séances de marche nordique pourrait être envisagé. Mais je doute que ça donne des résultats. À ce stade, je pense que le problème, c'est vous. Peut-être que vous devriez revoir votre liste de critères à la baisse ou simplement partir en retraite fermée dans un monastère tibétain. Paraît qu'il il y a des moines enclins à défroquer. On ne sait jamais.

LA PREMIÈRE IMPRESSION

Ma mère me disait tout le temps : « On n'a pas deux chances de faire première impression. » Eh bien, je vais vous dire une affaire, ce n'est pas vrai du tout. Je veux dire pas pantoute vrai. J'en suis la preuve vivante. La première fois que Délicieux Mari m'a vue, je venais de m'enligner quasiment vingt *shooters* de vodka dans un bar bien connu que je ne nommerai pas. Je peux juste vous dire que c'était sur la rue Saint-Élisabeth à l'angle Sainte-Catherine, mettons. J'avais bu vingt *shooters*, donc, et je n'étais pas belle à voir. J'avais le mascara coulé à force d'avoir trop ri avec mes amies de filles et un gars avait renversé sa pinte de bière sur ma camisole blanche, devenue beige par la force des choses. J'étais couettée et je parlais fort en gesticulant. Délicieux Mari m'a confié, des années plus tard, que j'étais inaudible ce soir-là, et que j'étais un peu trop intense pour la ligue. En clair, je parlais avec une patate chaude dans la bouche et il trouvait que j'avais l'air d'une hystérique.

Si celui qui allait devenir mon époux avait été un fervent adepte de l'adage énoncé par ma mère, il aurait fait une croix sur la merveilleuse personne que je suis et m'aurait archivée dans la catégorie « folles et alcooliques » jusqu'à la fin des temps. Mais je suis chanceuse. Délicieux Mari n'a pas peur des filles exubérantes et sait composer avec la saoulasse sauvage. Une chance que je me suis reprise après, par exemple. Je lui ai montré que je savais me tenir pis que moi avec, je pouvais parler de Spinoza. C'est parce que mon mari aime ça, les affaires plates. C'est un intellectuel. Ça fait que des fois, je suis obligée de lui faire accroire que j'aime ça discuter très intensément de l'éthique du bonheur et de la liberté. C'est un mensonge pieux, comme. Ne vous inquiétez pas. Je reviendrai à cette pratique indispensable qu'est le mensonge pieux pour la réussite d'un couple dans un segment consacré au mythe de la communication.

LES CHOSES À NE PAS DIRE OU FAIRE DURANT UNE PREMIÈRE *DATE*

Inévitablement, après la première rencontre survient la première *date* officielle. Je vais faire ça simple et dresser une liste des choses qu'il faut mieux éviter de dire ou de faire lors d'un premier rendez-vous. Mémorisez-là, prenez-là en photo ou collez-là sur votre frigidaire, qu'on en finisse. Ça vous évitera bien des malaises et des soirées ratées.

Parler de son ex

Je le sais, c'est d'une évidence consommée, mais je dirais que le ¾ des gens le font. On oublie les phrases qui débutent par « Je ne veux pas parler de mon ex mais… ». C'est parce que tout le monde le sait que ce genre de préambule est un aller simple pour une soirée à bitcher son ancienne flamme. On évacue donc de son vocabulaire toute allusion au pervers narcissique qu'il était, à la pension alimentaire qu'il ne verse pas et à sa nouvelle blonde plus jeune que nous. Je le sais, c'est plus facile à dire qu'à faire, mais il le faut.

Dire qu'on veut au moins trois enfants

Ce genre d'affirmation risque d'apeurer même le plus paternel des partis. Qu'on se comprenne bien : en ce qui a trait aux enfants, il est bien de jouer cartes sur table tôt dans la relation. Sauf que tôt ne doit pas nécessairement dire lors du premier apéro. Gardez-vous une petite gêne, au risque d'avoir l'air d'une fille qui ne cherche qu'un géniteur. Ce n'est pas juste ça que vous cherchez, hein ? Rassurez-moi.

Se saouler comme la Pologne

Il va sans dire que je n'étais point saoule lors de notre première *date*, à Délicieux Mari et à moi. J'imagine que je voulais faire bonne figure rapport à la fois du bar sur la rue Saint-Élisabeth. C'est certain que la tentation de boire pour se donner du courage est forte mais, de grâce, résistez. Personne n'a envie, à sept heures du soir, de partager un verre de chardonnay et un plateau d'huitres avec quelqu'un qui peine à tenir debout. En plus, tituber, ce n'est pas gracieux.

Trop, c'est comme pas assez

Ici, je me passerai d'explication. Je dirai juste qu'il vaut mieux éviter de s'habiller comme une bonne sœur ou comme Anne-Marie Losique. Entre les deux, il y a tout un monde de bon goût que je vous conseille vivement d'explorer.

Parler d'argent

Ça, c'est vraiment une mauvaise idée. J'en profite aussi pour rappeler à ceux qui seraient tentés de séparer l'addition à la cenne près que ce genre de comportement est vraiment un *turn off* majeur. Pas que je m'attende impérativement à ce que l'homme paie. C'est juste que me faire dire par quelqu'un que je lui dois 7,44 $, je trouve ça un brin ordinaire. Arrondissez, au nom du ciel.

Parler de sa vie sexuelle en détail

À moins que vous ne soyez une escorte, évitez de mentionner que vous êtes la reine de la pipe et de demander à l'autre s'il est ouvert aux expériences échangistes. Gardez-vous un petit jardin secret pour plus tard. Ça vous fera une carte dans votre jeu le jour où vous emboutirez sa voiture dans celle du voisin. En tout cas, moi ça m'a aidé.

LA PIRE *DATE* DE MA VIE

～

Vous le savez que je suis séparée du papa de ma première fille. À deux, on a décidé de désunir nos destinées quand elle avait un an et demi environ. C'était le temps que ce genre de décision soit prise mais, en même temps, j'avais beaucoup de peine. Pour me sortir de mon marasme, une personne de mon entourage m'a suggéré d'aller souper avec un ami à elle. Il était avocat, sympathique, beau garçon ET il m'avait trouvée, selon les dires de l'entremetteuse, charmante la seule et unique fois où on s'était rencontrés dans un cinq à sept.

Je n'étais pas très chaude à l'idée d'aller prendre un verre (et peut-être souper) avec un homme que je n'avais que briè-vement entrevu au cours d'une soirée mondaine. En plus, je n'étais pas prête à rencontrer quelqu'un. Ma séparation était très récente et j'avais le cœur en compote. Mais, à force de me faire tordre le bras par mes amies de filles, j'ai fini par accepter. Au fond, ça ne serait pas si pire que ça, je me disais. J'irais prendre ce verre avec un avocat qui, selon les dires de tous, était fort charmant et, si ça ne cliquait pas entre nous, on se quitterait en bons amis.

Le soir de la *date* en question, je me suis arrangée *cute*, mais pas trop. Je ne voulais pas avoir l'air désespérée ou, pire, trop pressée de conclure. J'ai choisi une tenue classique. Chemi-sier blanc en crêpe de Chine, *skinny* noirs et talons hauts. Bon, j'avoue que, inconsciemment, j'ai un peu essayé de m'habiller en femme d'avocat, mais passons. L'avocat en question m'avait donné rendez-vous dans un bar branché du centre-ville. Le genre de place de *big shot* où je n'étais jamais entrée de ma sainte vie. Le genre de place où ton mar-tini coûte 22 piasses même s'il est fait avec de la Smirnoff. Bref, pas mon genre d'endroit. Je m'avance donc au bar, constatant du même coup que je suis vraiment *underdressed* comparativement à la faune locale. Les filles portent des robes chics style Jackie Kennedy et les hommes sont en complet. Je me sens tout à coup comme un chien dans un jeu de quilles, une Marilyn des pauvres. L'avocat se pointe et, l'espace d'un bref instant, mon malaise se dissipe. Il me complimente sur mes cheveux et me dit qu'il a réservé une banquette, au fond. Je le suis jusqu'à notre table en pensant qu'il est quand même pas mal plus beau que dans mon souvenir.

Une serveuse avec des jambes de huit pieds s'amène pour prendre notre commande. Je n'ai même pas le temps de prononcer un mot que monsieur nous commande à chacun un verre de champagne. Je le trouve un brin mal élevé. C'est parce que ça ne me tentait pas, moi, de me siffler un verre de bulles. Je désirais mon martini habituel, dusse-t-il me coûter 22 piasses plus le pourboire. Je décide néanmoins de me taire pour ne pas froisser monsieur l'avocat et ruiner notre *date*. Je réaliserai plus tard que j'aurai dû rectifier la situation aussitôt. La vodka m'aurait aidée à survivre au reste de la soirée.

Je ne vais pas raconter en long et en large cette soirée que j'aimerais mieux effacer de ma mémoire. Disons seulement que moi et l'avocat n'avions absolument aucune affinité, sinon celle de nous trouver *cute* mutuellement. Monsieur a commencé à me parler de son travail, ce qui n'a rien de mal en soi. Il planchait sur une grosse cause, allait sans doute devenir associé et s'en mettrait assurément plein les poches. Avec ça, il allait pouvoir refaire la toiture de son chalet dans le nord et changer son *speed boat* pour un plus gros. D'ailleurs, fallait que je vienne à son chalet. C'était une construction scandinave et il avait importé de la pierre directement de Mont-Tremblant afin de réaliser un aménagement paysager original. C'est parce que le gazon et les petites fleurs de champs, il haïssait ben ça. Il aimait mieux la pierre («à 600 dollars la tonne», me précisa-t-il) et je ne sais plus trop quoi d'autre de cher et de luxueux.

Après, il a enchainé sur son ex-blonde, une pitoune superficielle qui n'en avait que pour son compte de banque. C'est pour ça que je lui avais tapé dans l'œil, il m'a expliqué. Parce que je n'étais pas pitoune et que j'avais l'air d'avoir de quoi à dire. Je me demandais si ça voulait dire qu'il me trouvait laitte. Mais, rendue là, ça ne m'importait pas trop. L'avocat a dû revoir sa perception de moi, parce que pas un mot ne sortait de ma bouche. Je ne savais pas quoi lui dire. J'avais beau essayer de trouver un sujet de conversation, aucun ne me venait à l'idée. Ça fait que je l'ai laissé parler jusqu'à temps qu'il demande l'addition à la grande amazone qui avait sûrement déjà dû auditionner pour *Occupation Double*. Quand elle l'a apportée, l'avocat a regardé le total et s'est mis à calculer dans sa tête. «Tu me dois 22,74 $», il m'a dit. Après, il a voulu savoir si j'accepterais de souper avec lui. Il avait réservé une table dans un restaurant tout près. J'ai pris mon courage à deux mains et lui ai dit que je n'étais pas intéressée et qu'il n'était pas mon type d'homme. Il m'a répondu que je lui devais tout de même 22,74 $.

RECETTE MIRACLE
POUR ÉCOURTER UNE *DATE*
QUI SE DÉROULE MAL

Quand ça se passe mal, il n'y a pas de solution plus efficace que le brise-jambes. En gros, il s'agit d'offrir un dernier verre à la personne avec qui vous n'avez aucune affinité et qui ne comprend rien à votre langage non verbal. Dans ce verre, versez 5 onces de vodka bien froide et, pour tromper son œil et sa vigilance, ajoutez 2 olives. Laissez agir au moins 20 minutes puis faites monter l'infortuné dans un taxi.

TROIS *DATES* DE RÊVE

I. La *date* gastronomique

« Elle le tient par le ventre », disait parfois ma mère. Je dois dire que, pour une fois, voilà un adage auquel je crois dur comme fer. Qui n'a pas envie de partager sa vie avec un cordon bleu et de passer ses soirées à s'empiffrer de mets divins ? Pour cette raison, mais surtout parce que je suis une gourmande finie, je vous propose deux idées de repas pour une *date* qui sera, si vous ne ratez pas la recette (les deux sont très simples, en passant), tout aussi délicieuse que celle-ci[4].

Salade de homard flamboyante[*]

─────────── INGRÉDIENTS ───────────

- La chair de 2 homards
- Les grains de 2 blés d'Inde
- 4 patates cuites et coupées en cube
- 1 poivron rouge coupé en dés
- 4 oignons verts émincés
- 1 cuillère à thé de ciboulette ciselée
- 1 c. à soupe de persil plat ciselé
- Le jus de 1 citron
- Sauce Crystal ou sauce piri piri
- Huile d'olive, sel et poivre

─────────── PRÉPARATION ───────────

- Mélanger tous les ingrédients.
- Ajouter le jus de citron.
- Mélanger.
- Ajouter la sauce Crystal, l'huile d'olive, le sel et le poivre au goût.
- Bien mélanger en faisant attention à ne pas briser la chair de homard.

─────────

4   Sauf si vous n'aimez pas le poisson ou les fruits de mer. Quoique mes recettes sont parfaites pour éliminer ni vu ni connu une mauvaise *date* allergique à tout ce qui vit dans l'océan.

[*]   Variante : servir sur un lit de roquette.

Pâtes au saumon fumé

Bien souvent, les meilleures recettes sont le fruit du hasard ou des circonstances. C'est le cas de celle-ci, élaborée dans une roulotte du camping Belley, au Lac Saint-Jean, alors qu'un violent orage m'empêchait de sortir acheter les vivres nécessaires pour le repas du soir. Ce jour-là, j'ai dû composer avec ce qu'il y avait dans le petit réfrigérateur de la tente-roulotte : un oignon rouge, des câpres et du saumon fumé. Depuis, cette recette simplissime est devenue un classique dans mon couple et Délicieux Mari me la réclame au moins une fois par semaine.

INGRÉDIENTS

- 454 g de farfalle (De grâce, utilisez des pâtes faites de semoule de blé dur.)
- 1 gros paquet de saumon fumé coupé en morceaux
- 1/4 de tasse de câpres
- 1 petit oignon rouge émincé
- 2 c. à table de persil plat haché

- 1 c. à soupe de zeste de citron
- Le jus d'un demi-citron
- 1 citron coupé en quartiers
- Huile d'olive
- Beurre
- Parmesan reggiano
- Sel et poivre du moulin

PRÉPARATION

- Dans un gros chaudron, faire bouillir les pâtes dans de l'eau salée jusqu'à ce qu'elles soient *al dente*.

- Dans une casserole à feu moyen, faire chauffer de l'huile d'olive et y faire revenir les oignons.

- Ajouter les câpres et faites revenir 2 ou 3 minutes.

- Éteindre le feu.

- Ajouter le saumon fumé, le zeste et le jus de citron. Saler, poivrer et remuer.

- À cette préparation au saumon, ajouter les pâtes, le persil plat, 2 ou 3 noisettes de beurre et un gros trait d'huile d'olive. Remuer et rectifier l'assaisonnement.

- Faire revenir à feu moyen-vif durant 2 ou 3 minutes, le temps de réchauffer les pâtes. Attention, le saumon ne doit pas trop cuire.

- Servir les pâtes avec un peu de parmesan, râpé finement, et les quartiers de citron.

2. La *date* pour cinéphiles

L'ultime romantisme, c'est d'inviter votre prospect à une séance de cinéma en plein air. Rien de tel que de regarder *Jaws* sur un vieux mur de briques en se faisant dévorer par les moustiques. Si vous habitez en région et qu'il n'y a pas de séance de cinéma en plein air, honte à votre ville. Dépêchez-vous de proposer cette activité des plus bucoliques à votre maire. Mais avant, sachez qu'il est très possible d'organiser un cinéma en plein air maison en projetant un film sur un drap blanc qu'on aura préalablement accroché sur la corde à linge. « Ce n'est pas tout le monde qui a un projecteur personnel », vous allez me dire. Forcez-vous un peu. Ce n'est pas à tous les jours qu'on rencontre l'âme sœur. Louez-en un et épatez vos voisins en prime. Vous pouvez même, pour joindre l'utile à l'agréable, leur charger un petit deux piasses.

3. La *date* qui n'en est pas une

« C'est-tu une *date* ou c'est-tu pas une *date* », vous vous demandez. Relaxez. Ce que j'entends par « une *date* qui n'en est pas une », c'est une rencontre où l'emphase n'est pas mise sur la séduction. En clair, on évite le *set-up* habituel de la *date*. Exit donc les bars, les restos et le cinéma. Soyez plus original que ça. Pensez pique-nique, visite au musée, jardinage, au pire. Vous pouvez même aller faire l'épicerie avec votre *date*. Bref, l'idée est de vivre avec votre prospect une situation de la vie quotidienne. Comme ça, vous allez tous les deux vous voir sous votre vrai jour dans une réalité non augmentée. Gageons que ce départ sera pas mal plus gagnant que les lendemains décevant d'un souper aux chandelles sur un yacht. Bon, c'est sûr que souper sur un yacht, c'est quand même plaisant.

VOTRE ATTIRANCE POUR
LES MAUVAIS GARÇONS

∼ා

Je n'ai jamais été attirée par les mauvais garçons, mais je peux comprendre pourquoi vous l'êtes. Je vais vous dire une affaire qu'on ne dit pas assez souvent par exemple. Les mauvais garçons ne sont pas toujours ceux que l'on pense. Prenez le mari de mon ami Juliette. Éric qu'il s'appelle. Éric a grandi aux côtés d'un père alcoolique qui aimait trop les jeux d'argent et qui était plus menteur qu'un arracheur de dents. Toute son enfance, madame Bérubé, la mère d'Éric, l'a mis en garde contre sa génétique noire. Juliette m'a d'ailleurs avoué que madame Bérubé appelle Éric chaque dimanche pour lui raconter de vieilles chicanes du temps où elle était encore avec son père. Histoire d'être certaine qu'Éric ait son ADN en horreur.

Éric n'est pas chanceux. Avant qu'il passe la porte de la maison pour de bon le jour de ses 18 ans, il a été obligé de naviguer entre un père démissionnaire et une mère qui n'en était pas vraiment une. Parce que madame Bérubé avait beau passer le plus clair de son temps à sermonner son mari et à le faire suivre par ses amies de femmes pour savoir s'il avait recommencé à voir sa maîtresse, elle n'était pas mieux que lui. Tellement pas mieux qu'Éric a fini par comprendre que, même si son père avait plusieurs vices, sa mère en embrassait un elle aussi.

Éric se rappelle de l'odeur de gros gin qui flottait autour de sa mère quand il rentrait de l'école. C'est Juliette qui me l'a dit. Éric lui a raconté que le jour de ses 14 ans, il a retrouvé madame Bérubé inconsciente en bas de l'escalier de la maison. Il devait bien faire -12°.

Madame Bérubé avait glissé en allant chercher une boîte de lait Carnation. Elle voulait préparer une tarte pour son mari.

Il venait de lui téléphoner de la brasserie pour lui dire qu'il avait envie d'une tarte au sucre. Ça faisait trois jours qu'il n'était pas rentré. C'était à cause de son père qu'elle était tombée. C'est ça qu'elle a dit à Éric. Mais Monsieur Bérubé n'est pas rentré ce soir-là. Éric et sa mère l'ont attendu jusqu'à minuit. Madame Bérubé a fini par donner la tarte au chien. Elle n'a pas voulu qu'Éric en prenne un morceau. Elle ne l'avait pas faite pour lui, qu'elle a dit. Le père d'Éric est rentré le lendemain. Il a expliqué à sa femme que lui et trois gars de la brasserie avaient décidé d'aller aux courses de chevaux. Ils avaient roulé plus de 1 000 km en 24 heures et avaient perdu 2 000 piasses chacun. Une belle réussite.

Il y avait toujours une trêve après, quand monsieur Bérubé dépassait les bornes. Comme la fois des chevaux. Éric en profitait. Dans ce temps-là, il avait presque une famille normale. Son père revenait tout de suite après le travail et sa mère préparait le souper en chantant du Dalida. L'odeur de gin était moins forte sur les habits de madame Bérubé et Éric pouvait l'embrasser sur la joue sans avoir la nausée. Durant la trêve, monsieur Bérubé faisait beaucoup d'efforts pour être un bon père et un bon mari. Cette fois-là, il avait même ramené une douzaine de beignes du IGA. Il avait fièrement expliqué à sa femme et son fils qu'il n'avait pas pu résister à l'emballage doré et au sucre en poudre. Madame Bérubé était contente, Éric aussi. Ils avaient mangé la douzaine au complet après souper.

La trêve ne durait jamais bien longtemps. Pour une raison qu'Éric peine à s'expliquer encore aujourd'hui, monsieur Bérubé était incapable de vivre trop longtemps sans mensonge, sans machines à sous et sans brasserie. Éric savait que la trêve tirait à sa fin quand son père recommençait à mentir pour tout et rien. La fois des chevaux, madame Bérubé avait appelé un midi pour demander à son mari s'il était allé acheter du lait comme elle lui avait demandé avant de partir, le matin. Elle lui offrait d'y aller s'il n'avait pas eu le temps. Au lieu d'avouer qu'il avait oublié, monsieur Bérubé a dit à sa femme qu'il en avait acheté non pas une mais deux pintes, pour être sûr de ne pas en manquer. En raccrochant, il s'était dépêché d'aller au dépanneur avant que sa femme ne revienne. Il était comme ça, monsieur Bérubé. Il pouvait inventer un mensonge pour une chose aussi banale qu'une pinte de lait. Spontanément, il aimait mieux mentir que dire la vérité.

Éric a juré à Juliette, lorsqu'ils sont tombés amoureux, qu'il ne serait jamais comme son père. Et il lui a fait promettre qu'ils ne deviendraient jamais comme ses parents. L'autre jour, je suis passé chez Juliette pour lui rapporter un moule à gâteau emprunté la semaine d'avant. Il était passé quatre heures et il commençait à faire noir. La maison de Juliette était plongée dans la pénombre. Pourtant, Éric m'avait assuré qu'elle serait à la maison au moment où je passerais. J'ai décidé de sonner même si la maison semblait vide. La demeure s'est illuminée. Juliette est venue m'ouvrir. Elle était en robe de chambre. «Je me suis endormie» qu'elle m'a dit. Elle m'a raconté qu'Éric travaillait souvent tard et qu'il avait dormi au bureau deux soirs cette semaine-là.

Elle ne dormait pas bien quand il n'était pas là donc elle avait décidé de faire une sieste. Il était supposé rentrer ce soir par contre. Elle le savait car il l'avait appelée pour lui dire qu'il avait envie d'un steak. Elle m'a invitée à entrer. J'ai tout de suite trouvé que ça sentait drôle. L'air était lourd et imprégné d'une odeur familière. Celle du vin rouge qui s'échappe des verres sales empilés dans l'évier. Avec Juliette, on a discuté pendant qu'elle s'habillait et faisait de l'ordre. Un peu plus tard, elle a sorti les steaks et m'a invitée à rester pour le repas du soir. J'ai accepté. J'ai bien fait parce que 10 minutes plus tard, Éric a appelé pour s'excuser. Il était retenu au bureau. Juliette a raccroché et deux grosses larmes ont roulé sur ses joues. «Il travaille trop», qu'elle m'a dit.

Juliette s'est versé un autre verre de vin et m'a raconté en s'arrêtant à peine pour respirer comment elle en avait assez d'Éric. Assez des chicanes pour l'argent qu'il économisait à la cenne près, assez du travail tout le temps, du travail dont il revenait très tard et qu'il ramenait avec lui dans son humeur distraite et ses silences pesants. À force d'attendre après lui, elle était devenue comme madame Bérubé, une femme qui boit l'après-midi pour supporter l'attente d'un homme qui n'arrive jamais.

Mesdames, à force de vouloir éviter les erreurs de son père, Éric est tombé dans son propre piège. Juliette m'a confié qu'elle l'aimait bien, elle, monsieur Bérubé. Il la faisait rire. Oui, il mentait, jouait et buvait, mais au moins il était là de temps en temps. Méditez là-dessus.

LA MAGIE
DU DÉBUT

Il serait judicieux d'établir ici si, oui ou non, vous êtes faite pour être en couple. Il se peut fort bien que la vie à deux ne soit pas pour vous, ou encore que vous aimiez mieux subir un traitement de canal effectué par un dentiste qui vient de perdre sa licence que de partager la moitié de votre *rack* à brosse à dent avec une autre personne. Ça serait plate par exemple puisque ça voudrait dire que vous avez acheté mon livre pour rien. Faites donc mon petit test, histoire d'avoir l'heure juste.

Êtes-vous faite
pour être en couple ?[*]

1. Il vous demande d'aller faire l'épicerie.

a) Vous vous réjouissez. Vous adorez arpenter les rayons et lire chacune des étiquettes de valeur nutritive qui vous tombe sous la main.

b) Vous lui demandez de vous faire une liste et vous passez votre temps à sacrer et à le texter parce que vous ne trouvez rien dans les rangées.

c) Vous feignez la gastro-entérite.

2. Vous aimez que votre demeure soit...

a) Envahie par les babioles de l'être aimé. Pas un bas sale ne vous rebute. Vous êtes même prête à essuyer le cerne de la baignoire le sourire aux lèvres.

---

[*] L'utilisation du genre féminin a été adoptée afin de faciliter la lecture et n'a aucune intention discriminatoire.

b) En ordre, la plupart du temps. Par contre, vous vous surprenez parfois à imaginer avec horreur la possibilité d'un pot de margarine souillé par des graines de toasts.

c) Parfaite. Vous rangez vos bas par couleur et vos livres sont classés par ordre alphabétique.

3. Pour vous, la vie à deux, c'est...

a) Un objectif. Vous rêvez d'un cottage anglais en briques rouges rempli d'enfants, de chiens, de chats et, accessoirement, d'un conjoint, depuis votre plus tendre enfance.

b) Une possibilité. Vous n'êtes pas le genre à vous inscrire à des sites de rencontres dans l'espoir de trouver un cosignataire pour votre condo dans Griffintown mais, si quelqu'un s'offre, vous ne direz pas non. Après tout, un 3 ½ à 425 000 $, ça se paie mieux à deux.

c) Un cauchemar. Personne ne viendra jamais foutre le bordel dans vos petites culottes ou accidentellement replacer la copie du *Docteur Jivago* à côté de *2001, l'Odyssée de l'espace*.

4. Imaginez ce que vous feriez dans la situation suivante : votre tendre moitié apprécie la déco champêtre, que vous avez en horreur. Au moment d'emménager, il insiste pour amener avec lui ses meubles antiques alors que vous pensiez plutôt les jeter aux vidanges et privilégier un décor digne du Musée d'art contemporain.

a) Vous comprenez qu'il y tient, aux meubles de sa grand-mère, et concevez un décor délicieusement hétéroclite aux accents *vintage*.

b) Vous acceptez de bon gré la vieille commode en pin et la machine à écrire Underwood, mais l'obligez à remiser le reste de ses vieilleries au sous-sol.

c) Vous engagez un pyromane et le sommez de faire un feu de joie avec l'ensemble des possessions de votre cher et tendre.

5. Il sort sans vous dire avec qui ni où il va.

a) Vous lui faites une confiance absolue. Vous le savez qu'il est en train de servir des repas à la soupe populaire de votre quartier ou qu'il est au chevet d'enfants malades.

b) Vous n'êtes pas d'un naturel jaloux, mais vous espionnez quand même son compte Facebook afin de découvrir avec qui il passe la soirée.

c) Vous enfilez votre tenue de ninja et le suivez en douce. C'est facile, vous avez fait installer un GPS sous sa voiture.

SI VOUS AVEZ OBTENU UNE MAJORITÉ DE A

Vous êtes née pour être en couple. Toute votre existence est axée sur ce seul et même objectif : partager votre vie avec l'être aimé. Mais attention, vous êtes prête à tout pour parvenir à vos fins, même à laver ses vêtements de hockey ou à l'endurer, lui et ses douze chums, dans votre sous-sol.

SI VOUS AVEZ OBTENU UNE MAJORITÉ DE B

Vous aspirez à la vie à deux, mais pas tant que ça. Exit les mauvais partis, les menteurs pathologiques ou les trompeurs en série. Vous attendrez le bon, quitte à finir vos jours seule. En voilà une bonne attitude à adopter. « Attention à ne pas finir vieille fille », ma mère dirait. Moi, je vous conseille juste d'avoir des critères réalistes et de rester ouverte aux propositions pis tout devrait être tiguidou.

SI VOUS AVEZ OBTENU UNE MAJORITÉ DE C

La peur de l'engagement, vous connaissez. Vous aimeriez mieux faire vœu de chasteté plutôt que d'être pognée pour laisser entrer quelqu'un dans votre vie. Bon, j'exagère peut-être un peu. Si j'étais vous, je chercherais les raisons profondes de cette peur du couple. M'est d'avis que ça doit avoir rapport avec votre père ou votre mère. C'est pas moi qui le dit, c'est le bon docteur Freud.

L'OFFICIALISATION

Vous avez succombé aux charmes du cousin de votre amie, du bellâtre du bureau ou à celui du commis au dépanneur. Peu importe. L'important, c'est que vous avez triomphé lors de votre première *date*. Si vous êtes du monde normal, vous vous êtes revus une couple de fois après ce premier rendez-vous et formez désormais un couple officiel. En gros, ça veut dire que vous avez arrêté de vous voir juste pour copuler. Vous brûlez d'envie d'envoyer un télégramme chanté à tous vos proches afin de leur annoncer que vous êtes désormais en couple. Mais avant d'engager un clown ou de passer de *single* à *in a relationship* sur Facebook, pensez-y bien. Sortir du garde-robe, c'est un peu dire adieu à son individualité. C'est clair qu'asteure, vous allez être invitée dans des soupers de couples et dans des fins de semaine de couples. Même votre mère ne pourra pas s'empêcher de vous obliger à venir au traditionnel souper de famille du dimanche soir. Avant, elle vous épargnait parce que vous étiez seule et que vous faisiez pitié. Mais maintenant, plus d'excuse. Vous devrez trimballer votre nouvelle conquête à la table familiale, et là elle devra répondre aux 528 questions que votre père et vos sœurs lui poseront en parlant tous en même temps. Voyons les choses du bon côté: le souper familial, c'est un bon test. Si vous passez au travers de votre premier souper de famille sans anicroche et sans vous arracher la tête sur le chemin du retour, ça veut dire que vous êtes en *business* pour la suite.

Je ne sais pas comment l'officialisation s'est faite pour vous. Pour certains, ça se passe naturellement. Pour d'autres, il faut plus de précision. Et par précision, je n'entends pas un post-it sur lequel vous auriez écrit:

« Veux-tu être mon chum pour de vrai ? » avec une case pour cocher oui et une autre pour cocher non. On est plus en cinquième année du primaire, pour l'amour du ciel. Non, je parle d'une vraie discussion où on se regarde dans le blanc des yeux.

J'en ai déjà eu une, une discussion de même. Pas avec Délicieux Mari, on s'entend. Avec lui, les choses n'ont pas été compliquées. On n'a pas eu besoin de mettre les pendules à l'heure, de valider nos sentiments l'un pour l'autre ou d'instaurer la monogamie. D'ailleurs, je crois sincèrement que quand les choses se passent de cette façon, sans conversations interminables sur l'engagement et les paramètres du couple, c'est un gage de succès pour le futur. M'est d'avis que si c'est compliqué dès le départ, ce n'est pas bon signe. Je pense aussi que si vous avez envie de coucher avec une autre personne alors que vous venez d'entamer une relation avec une autre, il y a quelque chose qui cloche. Je veux dire au début, on est censé avoir envie d'être avec l'autre 24 heures sur 24 365 jours par année. On est convaincu qu'on a trouvé quelqu'un qui nous complète parfaitement et dont les défauts sont inexistants. Tout le monde autour est inintéressant, fade et laid comparativement à celui ou celle qui fait battre notre cœur. On a envie d'habiter ensemble, de faire 18 enfants et d'adopter des chiens errants. On ne se dit pas que les choses vont trop vite, on n'est pas constamment en train d'appuyer sur le *break*. On ne part pas habiter chez l'autre en gardant tout de même les clés de son condo, au cas où. Non, on est naïfs et persuadés qu'on sera ensemble pour la vie. Et on agit spontanément parce qu'il y a une petite voix au fond de nous qui nous chuchote qu'on a enfin trouvé LA bonne personne.

LES SIGNES QUI NE TROMPENT PAS

Vous êtes allés manger au restaurant italien, avez fait des pique-niques dans la nature, avez participé au Tour de l'île à vélo et arpenté le marché aux puces de la 440 dans le but de trouver un étui d'iPhone moins cher qu'à l'Apple Store. Vous l'avez même traîné au traditionnel BBQ familial de mononcle Gérard et il ou elle n'a aucunement bronché, en entendant les blagues salaces de votre beau-frère. Bref, vous avez sans doute déniché l'homme ou la femme de votre vie, mais n'êtes pas encore, malgré tous ces signaux encourageants, certain de vouloir former un couple avec cette personne? Sachez tout d'abord que je trouve que vous faites un peu dur. Mais parce que je vous aime et que j'ai un peu pitié de vous, j'ai créé pour votre petit cœur d'indécis une liste de 10 signes qui devraient vous indiquer que c'est l'heure de plonger la tête première.

- La blonde voisine à l'opulente poitrine n'exerce désormais aucun attrait sur vous.
- Vous magasinez des maisons sur internet, juste pour voir si le marché est plus favorable aux vendeurs ou aux acheteurs.
- Vous avez envie d'écouter les cinq saisons de *Friday Night Lights* en rafale même si vous n'avez aucun intérêt pour le football et le mode de vie texan.
- Vous avez arrêté de texter votre ex à trois heures du matin.
- Vous vous êtes mis à parler au «on».
- Vous avez acheté un espace double au cimetière le plus près de chez vous.
- Vous avez envie de tout savoir sur son arbre généalogique.
- Ça ne vous dérange pas que ce soit un ancien danseur nu.
- Vous rêvez parfois que vous vous envolez pour Vegas et qu'un prêtre accoutré en Elvis unit vos destinées.
- Vous trouvez sa mère sympathique.

SEXEMANIA

C'est bien connu, les nouvelles relations sont le théâtre d'une sexualité frénétique. En d'autres mots, on ne peut pas s'empêcher de baiser comme des lapins. Délicieux Mari et moi ne faisions pas exception à la règle[5]. Je me rappelle que, quand on a commencé à sortir ensemble, j'ai pris un congé de trois jours à la job. J'avais, fort heureusement pour moi, une patronne très compréhensive et sincèrement heureuse de me voir enfin penser à autre chose qu'à l'échec de mon premier mariage. En vue de ces trois jours de luxure, j'avais fait des provisions d'alcool, de draps propres et de boissons énergisantes. Je niaise. J'avais seulement songé à acheter une quantité non négligeable de spiritueux à la Commission des liqueurs.

Le premier jour, tout s'est bien déroulé. Entre chaque ébat, nous nous promettions mer et monde en se demandant comment on avait fait pour vivre l'un sans l'autre jusqu'à maintenant. Je me rappelle m'être endormie très tard dans la nuit, ivre d'amour et, surtout, de vodka martini. C'est le lendemain que les choses se sont corsées. Nous avions faim et le frigidaire était vide. Pas question cependant de sortir déjeuner en quelque part. Nous avions mieux à faire. Nous nous somme rabattus sur les vieilles céréales ramollies et assurément périmées qui dormaient au fond du garde-manger depuis au moins deux ans. Vers midi, je n'en pouvais plus. C'est là que j'ai eu l'idée de génie de commander du poulet BBQ. Trente minutes plus tard, le livreur sonnait à ma porte et je pouvais me délecter de salade de chou et de peau de poulet. J'ai même bu mon restant de sauce à même le *cup*. Je ne vous dirai pas ce qu'on a fait tout l'après-midi.

---

5   Maman, si j'étais toi, je sauterais cette section du livre et me rendrais directement
    à n'importe quelle autre.

Ce serait indécent, et je suis certaine que ma mère n'a pas suivi mon conseil et s'obstine à lire cette section du livre malgré mon avertissement. Bref, le poulet nous a donné toute l'énergie nécessaire pour que nous puissions reprendre nos activités et nous rendre jusqu'à l'heure du souper. Sauf que là, vers 19 heures, j'avais une faim de loup. Constatant le manque de restaurants qui livraient dans le fin fond d'Hochelaga et n'ayant aucunement le goût de me sustenter de poutine ou de sous-marin, nous avons à nouveau fait appel à notre rôtisserie préférée. Après tout, il n'y avait pas que du poulet BBQ sur le menu et j'avais envie de côtes levées.

Le troisième jour, nous avons atteint le fond de la boîte de céréales et épuisé pas mal toutes les options du menu du magasin de poulet. Pour notre dernier souper et ultime commande avant mon retour au travail, le lendemain, nous avons opté pour un club et un hot chicken. Rassurez-vous, ce n'est pas moi qui ai arrêté mon choix sur l'infâme hot chicken. C'est Délicieux Mari et ses goûts d'homme de 78 ans. Trente minutes plus tard, le livreur se tenait devant nous pour la sixième fois en 72 heures et il faisait une drôle de face. Quand on a eu terminé de payer, il nous a regardé droit dans les yeux, nous a tendu nos boîtes, s'est raclé la gorge et a dit que c'était pas de ses affaires, mais qu'à un moment donné, faudrait bien sortir de l'appartement. «Vous pouvez pas rester enfermés là-dedans et vous nourrir de poulet BBQ *ad vitam æternam*. Et vous devriez ouvrir une fenêtre», il a conclu. Le livreur était visiblement un homme sage.

LA PREMIÈRE CHICANE

~∽

Inévitablement, elle surviendra cette première chicane entre vous et celui ou celle que vous croyiez parfait. La plupart du temps, vous ne l'aurez même pas vue venir. J'ai parfaitement souvenance de notre première prise de bec à Délicieux Mari et à moi. C'était à propos du choix de restaurant à déjeuner. J'avais envie d'aller dans ce bouiboui iranien que j'aime bien et de manger une omelette au feta et des pitas maison tartinés de confiture de rose. L'homme tenait absolument à ses deux œufs bacon extra fèves au lard. S'en est suivi un ostinage sur ma tendance à préférer un petit déjeuner à 18 piasses qui bourre même pas au lieu de manger la même affaire que tout le monde. J'ai répliqué en lui reprochant sa propension à préférer les matières grasses et les aliments mauvais pour la santé à la vraie nourriture saine et vivante. Après, je l'ai accusé d'être sédentaire et lui ai prédit une mort par crise cardiaque avant l'âge de 35 ans, peut-être 34 s'il continuait à mettre épais de beurre de même sur ses toasts[6]. Délicieux Mari m'a traitée d'hystérique, de bourgeoise et d'anorexique qui s'ignore. Après, on est allés manger chacun de notre bord en boudant. Une petite chicane bien relaxe, quoi.

C'est clair que la première chicane est un moment charnière dans la vie d'un couple. C'est là que vous saurez de quel bois l'autre est sculpté et que vous pourrez le classer dans l'une ou l'autre des catégories suivantes.

Les passifs

Le genre de monde qui me tombe sur les nerfs. Ils te regardent grimper dans les rideaux sans broncher et te laissent t'enfoncer dans une espèce de dialogue à sens unique en restant

---

6   Délicieux Mari a 36 ans, donc ma prédiction funeste s'est avérée fausse.

parfaitement calmes. Le genre d'attitude qui me donne envie de te sauter à la gorge et de te secouer jusqu'à temps que tu finisses par m'en cracher toi aussi, des insultes et des reproches. Délicieux Mari se range définitivement dans cette catégorie. Quand je pogne les nerfs, il me regarde m'énarver le poil des jambes. Habituellement, lorsque j'ai fini de hurler, de casser de la vaisselle ou de menacer de faire mes valises, il me dit le plus calmement du monde qu'il va me parler juste quand je vais être redescendue de sur mes grands chevaux. Après, il retourne à la page Wikipédia qu'il est en train de consulter ou part acheter une pinte de lait au dépanneur. C'est à ce moment que je réalise que j'ai légèrement exagéré et que j'éprouve une envie irrépressible de m'excuser.

Les agressifs

Ça, c'est ma catégorie. Les agressifs passent de zéro à cent en une nanoseconde. Ils peuvent te frencher une minute et te trancher la gorge celle d'après. Ma mère appelle ça être *prime*. Moi, j'appelle plus ça aller au bout de ses convictions, coûte que coûte. C'est pas mêlant, je pourrais déclencher la Troisième Guerre mondiale pour un couteau mal rincé ou juste parce que je me suis levée du mauvais pied ce matin-là et que je suis de mauvaise humeur. Habituellement, l'agression verbale s'accompagne de cris et de pleurs. Et les symptômes sont directement proportionnels à l'ampleur de la réaction de la personne avec qui je tente de m'engueuler. Je vous le dis, c'est pas facile être faite de même. Ça demande beaucoup d'énergie conserver cette capacité d'agression. Il faut manger beaucoup de fruits et légumes, se coucher de bonne heure et faire du sport régulièrement. C'est une véritable discipline. Non, ce n'est pas donné à tout le monde.

Les passifs-agressifs

Eux autres, ce sont des hybrides manipulateurs perfides et fourbes. Je vous le dis, il faut se méfier des passifs-agressifs.

Parce qu'avec eux-autres, rien n'est clair. On ne sait pas s'ils vont nous enseigner une position de yoga ou nous arracher les yeux avec une cuillère à thé. C'est le genre de race qui se pense bonne et qui a comme un don pour te faire sentir coupable. Leur stratégie consiste à écouter tout ce que tu as à leur reprocher calmement en mimant une face consternée ou, s'ils sont vraiment mal pris, une face de peine. Après, ils prennent une voix suave et calme, te disent qu'ils comprennent ce que tu ressens et, sans même que tu t'en rendes compte, pelletent tous les problèmes dans ta cour en te convainquant qu'au fond, c'est toi qui as un problème. En gros, les passifs-agressifs sont juste une coche en dessous des pervers narcissiques, ça fait que si vous êtes malencontreusement matché avec un ou une, fuyez.

L'ÉCOSYSTÈME

Se mettre officiellement en couple avec quelqu'un c'est découvrir tout l'écosystème qui gravite autour de cette personne. Un bon ami à moi avait rencontré une fille de la campagne exilée à Montréal. Au début, tout allait bien et mon ami était persuadé qu'il avait enfin déniché la femme avec laquelle il pourrait écouter des films d'horreur et aller pêcher la truite. C'était avant que les cinq sœurs de la fille en question commencent à appeler chez lui et qu'il entende sa nouvelle blonde leur raconter dans les moindres détails leur vie intime. C'était avant qu'elle lui demande de l'accompagner dans sa région natale afin de lui présenter sa famille. C'était avant qu'il se rende compte qu'elle avait 44 cousins de 6 pieds 4 qui haïssent les gars de la ville et prêts à lui casser la gueule à tout moment. C'était avant qu'il ne réalise que sa blonde et sa famille passaient leurs soirées à écouter Super Écran et qu'il n'ait la vision apocalyptique de son beau-père en bedaine et en bobettes sur le divan. Et c'était surtout avant que ses nouveaux beaux-frères se mettent à penser qu'il était leur meilleur ami et l'invitent avec insistance à un spectacle de Monster Truck ou aux danseuses.

Il se peut que l'entourage de votre nouvelle flamme vous rebute au plus haut point ou encore qu'il vous fasse voir la personne avec qui vous êtes nouvellement en couple sous un jour pas nécessairement favorable. Dans tous les cas, il est primordial, pour éviter les mauvaises surprises, d'explorer cet environnement avant de vous engager pour vrai.

LA VIE
À DEUX

En observant les couples autour de moi, j'ai remarqué qu'il en existait quatre sortes. Bon, il en existe plus que ça, mais mettons que ces quatre catégories sont pas mal représentatives.

Les high school sweethearts

Ceux-là sont ensemble depuis qu'ils ont 12 ans et demi et partagent l'hypothèque, trois enfants et deux paiements auto. Ils vont habituellement dans le sud l'hiver et boivent des cocktails tropicaux en série pour oublier qu'ils se dirigent à pleine vitesse vers la crise de la quarantaine.

Les trentenaires un peu désespérés

Ceux-là se casent avec quelqu'un qui fait à peu près leur affaire. Plus honnêtement, ils cherchent une personne avec qui ils s'obstineront moins de quinze minutes avant de choisir un film sur l'Apple TV. Et si cette personne consent à donner son sperme ou à faire office d'incubateur dans la prochaine année, c'est un gros gros atout.

Ceux qui se fuient

Il y a aussi les couples qui font des efforts incommensurables pour passer le moins de temps possible ensemble. Monsieur veille dans le garage avec ses chums de gars pendant que madame, bien assise à la table de la cuisine, fait du scrapbooking avec ses trois sœurs. Ceux-là, je ne comprends pas vraiment ce qu'ils font ensemble. Mais eux-autres non plus, donc, ça s'annule.

Ceux qui se détestent

Venons-en à la catégorie de couple que je redoute le plus, ceux qui s'haïssent. On connait tous un couple qui se déteste au grand jour. Habituellement, on peut les démasquer à la façon dont un des deux soupire ou lève les yeux au ciel à chaque fois que l'autre parle. Cette catégorie me fait vraiment peur parce que j'en ai déjà fait partie une fois. Et je vous jure que ce n'était pas beau à voir. Disons seulement que j'avais un moins beau teint dans ce temps-là. L'aigreur, ce n'est pas bon pour la peau.

LA LISTE

~~

Délicieux Mari et moi partageons notre vie depuis un petit peu plus que cinq ans. On a eu des enfants, on a acheté une maison, une auto, un chien pis deux chats. Je me suis aussi acheté une sacoche Marc Jacob au Ogilvy, une fois. Mais c'est une autre histoire. Tout ça pour vous dire qu'à travers le tourbillon de la vie pis les achats de sacoches, il y a eu des petites chicanes. Des grosses aussi. Et, si la tendance se maintient, il y en aura encore. Dans ce temps-là, j'essaie de me rappeler de LA liste. Cette liste-là, je l'ai fait après l'échec de mon premier mariage. Non, Délicieux Mari n'est pas le premier. Mais j'espère très fort qu'il sera le dernier. Et cette liste m'aidera, j'espère, à réussir un mariage long et heureux (la plupart du temps).

1. Arrêter de faire du *drama* pour rien

Ce point nous mène directement à une sous-liste, celle des affaires pas importantes qui ne devraient pas me faire pogner les nerfs jamais.

- Le linge sale.
- Le linge propre pas plié dans le panier.
- Les poils de barbe dans l'évier.
- Quand il décide d'enlever les poils de barbe dans l'évier pour pas que je capote pis qu'il en reste minimum 500.
- Ce qu'on va manger, ou pas, pour souper.
- Les enfants pas peignés, pas habillés pis pas lavés quand j'arrive de travailler à 18 heures.
- Quand il se *spoile* les punchs des séries sur Wikipédia PENDANT qu'on visionne un épisode pis qu'il me fait des faces de gars qui sait tout à chaque minute de l'émission.
- RDS.
- RDS 2.
- Sa playlist avec des chansons de U2.

2. Ne jamais se coucher fâché

Ça me fait faire des cauchemars pis je ne suis jamais capable de me mettre assez à l'autre bout du lit pour pas que nos orteils se touchent, habituellement au bout de dix minutes de boudage.

3. Ne jamais dénigrer sa tendre moitié en public

Il faut toujours prendre parti pour son mari, en public. C'est juste rendu à la maison qu'on a le droit de lui dire qu'il a eu l'air un peu épais lorsqu'il s'est obstiné 20 minutes avec le serveur que le vin était bouchonné alors que c'était juste un vin du Chili.

4. Ne pas cultiver la rancune

Les choses qui se sont passées cinq ans avant, on essaie de les oublier. Sauf si elles ont rapport avec la secrétaire de votre époux pis son 36 double D.

5. Ne pas faire de menaces en l'air

On s'entend que le coup du «Ben si c'est comme ça, je m'en vais!», on l'a toutes déjà essayé. Habituellement, ça se passe comme suit: tu menaces de t'en aller, il te dit de le faire, tu claques la porte et tu te mets à marcher dans la rue en espérant qu'il va te courir après, il ne te court pas après pantoute, tu as l'air un peu conne.

C'est ça qui est ça. Mon petit doigt me dit que ma liste pourrait aider la jeune femme moderne à vivre en harmonie avec son doux. Vous pouvez la modifier ou la bonifier à votre guise.

Cocktail flamboyant pour soirées chaudes

Délicieux Mari n'aime pas le gin tonic, ce qui est une aberration. Mais parce qu'il m'aime, et pour pouvoir boire un gin avec moi, il a concocté un soir une recette à base de soda club et de sauce Flambeau. Depuis, j'ai laissé tomber le tonic. Je suis comme ça. Infidèle.

Gin à la sauce Flambeau *

———————————— INGRÉDIENTS ————————————

- 2 onces de gin Tanqueray
- 1 tranche de citron
- 80 ml de soda club (Mesdames, ceci est une quantité approximative. Soyez aventureuses et trouvez la vôtre.)
- 1 tranche de citron
- 4 gouttes de sauce Flambeau
- Glaçons

———————————— PRÉPARATION ————————————

- Dans un verre *old fashioned*, mettre 3 à 4 glaçons, la tranche de citron et la sauce Flambeau.

- Verser le gin et le soda.

- Brasser légèrement.

---

* Mesdames, attention, la dépendance croît avec l'usage.

EMMÉNAGER ENSEMBLE

~⌒~

Bon, je vous ai un peu menti dans le chapitre précédent. Il est vrai que Délicieux Mari et moi avons expérimenté la magie inoubliable des débuts, magie avec laquelle les comédies romantiques font du millage depuis la nuit des temps. Mais je m'égare. Tout ça pour vous avouer qu'on s'est mis à habiter ensemble le jour 1. C'est dire que Délicieux Mari et moi ne sommes pas une référence en matière d'emménagement. Mais laissez-moi quand même vous raconter notre histoire peu orthodoxe. Avant de sortir avec moi, Délicieux Mari habitait en France. Non, ce n'est pas un Français. C'est un prof d'université qui s'adonnait à donner des cours dans les vieux pays. Délicieux Mari habitait la douce France depuis environ trois ans, donc il n'avait plus d'appartement (ni aucun bien matériel d'ailleurs) en sol québécois.

Étant donné les 6000 kilomètres qui nous séparaient, c'est sur internet, et sur le *chat* de Gmail plus précisément, que nous nous sommes déclarés notre flamme. Après 526 000 messages échangés, nous en sommes venus à la conclusion que ce serait plus simple pour tout le monde si, à son retour de France, il emménageait directement avec nous. Avec moi et ma fille de deux ans, je parle. Je veux dire, j'avais un grand appartement que je peinais à payer seule, ma fille l'aimait bien et nous étions tous les deux convaincus que ça fonctionnerait entre nous. Après tout, on se connaissait depuis quasiment dix ans et étions meilleurs amis avant de devenir des amoureux. On pensait aussi que ça nous servirait à rien de payer deux appartements hors de prix alors qu'on savait très bien que l'un serait toujours rendu chez l'autre. En plus, on se disait qu'on croyait pas à ça, nous autres, les règlements du couple. Vous savez les préceptes qui prétendent nous sauver d'une éventuelle rupture. Il y en a tout plein, en voici trois :

Attendez deux jours avant de le rappeler sinon il va croire que vous êtes désespérée

On s'entend-tu que si la personne de l'autre bord est intéressée, elle va être bien contente que vous appelliez même si ça fait quinze minutes que vous vous êtes quittés.

N'allez pas trop vite

Je veux dire, pourquoi se freiner ? Si les deux ont envie de foncer, moi je dis qu'il n'y en a pas de problème. C'est certain qu'il vaut mieux éviter d'être naïf. On ne part pas se marier à Vegas avec un ex-détenu rencontré au fin fond d'un bar la veille. Mais ça se peut, des fois, des certitudes. Je le sais, je sonne comme une romantique finie, mais j'y crois.

Prenez votre temps avant de vous installer

Bon, c'est vrai qu'on ne déménage pas avec le premier venu. Mais, en même temps, je connais des couples qui ont attendu cinq ans avant d'habiter ensemble et qui se sont séparés au bout de six mois de vie commune. Je connais aussi des couples qui ont emménagé ensemble avant même de s'être frenché pour la première fois (c'est mon cas) et qui sont encore ensemble bien des années plus tard. Comme quoi, tout n'est pas si simple que ça.

N'empêche que quand Délicieux Mari est débarqué de l'avion, un 15 décembre, pour venir s'installer avec nous, mon cœur battait vite en maudit. Je n'étais plus certaine de grand-chose et j'avais peur de faire la gaffe de ma vie. Tous les conseils sur le couple entendus dans les lignes ouvertes à la radio et dans les émissions de Janette Bertrand tourbillonnaient dans ma tête. Même ceux de ma mère m'obsédaient. C'est bien pour dire. Je me disais qu'on allait trop vite, que ma fille serait traumatisée d'avoir à partager son quotidien avec un homme qui n'était pas son père et qu'on allait se planter royalement.

D'ailleurs, notre famille et nos amis pensaient la même chose à peine secrètement. Les filles du bureau m'ont même fait une intervention dans le but de me dissuader d'aller si vite en affaire. Mais j'ai une tête de cochon, ce qui est, parfois, une qualité.

Mon amoureux dit souvent, à la blague, qu'il est passé de célibataire à conjoint et père de famille pendant un vol de huit heures. J'imagine que tout le temps qu'il a survolé l'Atlantique en direction de Montréal, il a dû s'en poser des questions lui avec. Mais Délicieux Mari est un gentleman et n'en a rien laissé paraitre lorsqu'il a sonné à ma porte avec ses valises et tout son courage. Personnellement, j'étais moins sûre de moi et, surtout, très apeurée. Tout s'est arrangé quand Délicieux Mari a déposé ses bagages pour m'embrasser. Là, j'ai su que j'avais fait la bonne affaire et que c'était le début de la plus belle aventure de ma vie.

C'est certain que passé les premières semaines, où on ne faisait que l'aller-retour entre la chambre à coucher et le frigidaire, j'ai découvert quelques petits défauts dont j'ignorais auparavant l'existence. Délicieux Mari prenait sa douche très longtemps. Il avait la fâcheuse habitude de prendre la dernière barre tendre et de laisser la boîte vide dans le garde-manger. Il était incapable de serrer sa vaisselle dans le lave-vaisselle même si ce dernier se trouvait à moins de 15 cm du fond de l'évier. Une journée, j'ai fait un test : j'ai laissé la porte du lave-vaisselle ouverte pour qu'il voit qu'il était vide et constate qu'il pouvait y placer sa vaisselle sale. De façon prévisible, mon cher et tendre s'est dirigé vers l'évier, a rincé son assiette et l'a laissée s'échoir au fond du lavabo. En ce qui concerne la poubelle de la salle de bain, impossible de la vider. Elle a beau déborder de kleenex et d'autres trucs en tout genre, il aime mieux pitcher ses déchets sur le dessus du tas. Bien entendu, lesdits déchets se ramassent à côté de la poubelle, mais ça n'a pas l'air de le déranger.

Je vous entends déjà me juger : je suis une obsédée du ménage. Erreur. Je suis une véritable souillon. Délicieux Mari a d'ailleurs pu le constater en emménageant avec moi. Dans notre appartement, il y avait une pièce adjacente à la cuisine. C'est là qu'étaient installées la laveuse et la sécheuse. C'est aussi là que j'entreposais ma récupération. Le camion de la ville passait chaque vendredi matin pour ramasser la récupération. Et c'était immanquable, j'oubliais toujours de la sortir à temps. La petite pièce du fond s'est donc littéralement transformée, au fil des semaines, en centre de triage. Délicieux Mari et moi l'appelions le mausolée du recyclage. Il a fallu que ma mère menace de nous visiter pour qu'on se décide enfin à se débarrasser du monticule de carton qui prenait maintenant toute la pièce. « À chaque torchon sa guenille », disait ma mère. J'avais enfin trouvé la mienne.

LES PIÈGES DE LA VIE À DEUX

À force d'habiter ensemble, tout le monde développe des habitudes de vie mortifères pour le couple. Prenez mon exemple. Je suis pigiste et donc championne du linge mou. Ceux qui me connaissent bien vous le diront, quand ils pensent que je n'ai rien de plus mou à me mettre sur le dos que la tenue dans laquelle je suis, j'ai encore quelque chose de pire. Je veux dire que les t-shirts, c'est rendu que je trouve ça chic. J'ai plus de paires de pantalons de jogging que de jeans et plus de bas de laine que de souliers à talons hauts, quoique je possède une pas pire collection de souliers de guédailles, il faut bien le dire. J'ai aussi une propension particulière à ne pas me peigner les cheveux. Pour moi, une toque et un élastique sont suffisants pour passer au travers la journée. J'imagine que Délicieux Mari ne doit pas trouver ça tellement séduisant, même s'il me jure qu'il me trouve belle et sexy en tout temps, même avec un casse de bain sur la tête. Oui, je devrais me forcer un peu et m'habiller à chaque matin comme si je travaillais dans un vrai bureau. Sinon, j'ai peur que mes accoutrements d'Ontarienne finissent par avoir raison de mon couple.

Une autre affaire que je fais et qui devrait être passible de la peine de mort, c'est écouter le Canal Vie et le Canal D sans arrêt. C'est clair que je devrais fermer le téléviseur et engager la conversation avec Délicieux Mari au lieu de m'abrutir devant la TV à chaque soir. On pourrait aussi lire des livres, aller au théâtre et même se louer un film de répertoire. En même temps, mon époux il aime ça *Camionneurs de l'extrême* et *Pourquoi je ne maigris pas?* Pis au nombre de fois que je me tape les résumés des *games* de baseball et de football sur l'Apple TV, je pense qu'on est *break even*. Par contre, il m'a dit que si je lui faisais écouter une autre émission de cuisine végétarienne avec Joël Legendre dedans, il débranchait le câble.

LE MYTHE DE
LA COMMUNICATION

~~⌒~~

Tous les psys le disent, le secret d'un couple heureux et qui dure, c'est la communication. Je dois avouer que je ne suis pas tout à fait d'accord avec eux. Délicieux Mari et moi communiquons beaucoup, mais pas trop.

— Passe-moi le sel.

— Quel genre de film t'as envie d'écouter ce soir ?

— Est-ce que tu trouves que les filles sont plus dissipées qu'à l'habitude ou si c'est juste les quatre *popsicles* qu'elles viennent de s'enfiler avant le souper qui les rendent de même ?

— Tu devrais sortir les vidanges ce soir au lieu de demain matin. Comme ça, ça t'éviterait de courir en arrière du camion de la ville en bobettes avec tes sacs qui dégoulinent de jus de poubelle.

— J'aime mieux noir que gris pour la nouvelle auto.

— T'étais plus beau avec une barbe.

— Je pense que j'ai engraissé.

— Cette chemise-là te fait bien.

— On devrait devenir végétaliens.

— J'ai le goût de partir en voyage, mais on ferait mieux de payer la marge de crédit.

Comprenez-vous le principe ? On se parle de plein de trucs, mais on évite les sujets dont il ne vaut mieux pas discuter. Là, je vous vois nous juger et penser que nous sommes superficiels. À un moment donné, tout ce non-dit va leur sauter dans la face, vous pensez. C'est pas qu'on se cache des choses, c'est juste qu'il y a des affaires que ça ne sert à rien d'aborder dans un couple. Ça crée de la chicane, du ressentiment pis des raisons pour se bouder. Je trouve qu'asteure, on fait un plat avec pas grand-chose. On se renote des affaires, on tient presque un cahier de reproches et on soumet régulièrement l'autre à un interrogatoire en règle afin de lui tirer d'éventuels vers du nez. Moi, je trouve que ça ne sert à rien de reparler de la fois où on a été bête au déjeuner. Je ne vois pas non plus l'intérêt d'avouer à Délicieux Mari que je trouve le facteur de mon goût. On s'entend là, je le trouve séduisant. J'ai pas dit que je pensais sans arrêt à lui, que je voulais tout abandonner pour fuir avec ou que je m'imaginais dans ses bras au moment d'accomplir mon devoir conjugal. J'ai juste dit que je le trouvais beau bonhomme. Pourquoi j'irais le dire à mon conjoint[7]? Pour lui faire de la peine, pour le rendre jaloux? J'aime mieux ne rien dire et préserver son égo. En plus, Délicieux Mari est beaucoup plus bel homme que le facteur.

Au fond, ce que je veux dire, c'est qu'il vaut mieux tourner sa langue sept fois avant de parler. Et avant d'entamer une discussion existentielle sur votre intimité et votre couple, demandez-vous si cela en vaut vraiment la peine. Questionnez-vous à savoir si vous mesurez bien les conséquences de cette discussion et si vous êtes prêt à en assumer les conséquences, et ce d'un bord comme de l'autre. Je vais vous donner un exemple : si vous demandez à votre époux s'il trouve que sa secrétaire a des beaux atouts, attendez-vous à ce que, peut-être, il réponde par l'affirmative. Et vous ne pourrez pas lui en vouloir après, ni lui piquer une crise de jalousie. Ma mère disait «Toute vérité n'est pas bonne à dire», c'est vrai. Moi, je dis plutôt: «Si tu ne veux pas la réponse, ne pose pas la question.»

---

7 Bon là, c'est certain que tout le Québec le sait parce que je viens de l'écrire dans un livre. Mais Délicieux Mari ne saura jamais si j'ai tout inventé ça pour les besoins de la cause ou si j'avais réellement un kick sur le facteur. Je dis j'avais parce que c'est rendu une factrice, à mon grand désespoir.

Pour vous aider à appliquer les préceptes de la section précédente, voici une liste des sujets tabous qu'il vaudrait mieux aborder avec quatre paires de gants blancs :

Le poids

C'est un cliché plus qu'éculé de dire qu'on ne devrait JAMAIS aborder la question du poids franchement. Mais Patrick Huard avait plus que raison. À la question « Ai-je pris du poids ? », ferme ta yeule.

L'argent

Sujet épineux s'il en est un et première source de chicane dans le couple. Avoir une discussion à propos du compte conjoint est toujours un peu laborieux. Afin que la discussion ne se termine pas en Troisième Guerre mondiale, je vous suggère d'aborder le sujet lors des années bissextiles, en prenant bien garde à ce que votre douce moitié soit dans de bonnes dispositions. On évite aussi de parler bidous lorsque la saison des impôts bat son plein.

Le style vestimentaire

On évite de dire à chéri qu'on trouve sa chemise hawaïenne hideuse. Par contre, pas de quartier pour les gilets bedaines, les pantalons suce-mollets et la ceinture blanche.

La belle-famille

« Je trouve que ton beau-frère est mythomane », ça peut toujours passer. Mais « Ta mère me tombe sur les nerfs et ton père se prend pour un autre. », devraient être des phrases proscrites de votre vocabulaire. Oui, pour parler dans le dos de sa belle-famille, il vaut mieux emprunter moult détours ou, encore mieux, opter pour le déni.

Le sexe

Le sexe, c'est très important dans une relation. Et les couples devraient tous être capables d'avoir une discussion franche à son sujet. Sauf qu'il y a franc et franc. Si vous pensez que les seins de votre amoureuse ressemblent désormais à deux pentes de ski, il vaut mieux, pour préserver votre intégrité physique, garder ça pour vous. Et si l'envie vous prenait de lui suggérer une chirurgie mammaire, rappelez-vous qu'elle a allaité vos deux enfants pendant quatre ans et demi. Ça devrait vous aider à vous garder une petite gêne. Si jamais la tentation est trop forte, enfilez huit paires de gants blancs avant de passer aux aveux. Et priez pour qu'elle ne vous tue pas.

QUATRE PHRASES POUR SE SORTIR DE LA MARDE

Vous n'avez pas pu vous en empêcher et avez franchi le Rubicon des sujets tabous. Voici quelques phrases qui devraient vous aider à vous en sortir sans perdre trop de plumes.

« Je ne pensais pas ce que je disais. J'étais fâchée. »

Un classique de base qui ne devrait pas être utilisé à toutes les sauces, néanmoins.

« J'ai dit ça pour ton bien. »

Bon, on ne dit pas ça de même. On enrobe le tout d'un peu de compassion, de déclarations d'amour et de larme à l'œil et ça passe comme dans du beurre.

« Je souffre du syndrome de la Tourette. »

À utiliser certificat médical à l'appui seulement.

« J'étais saoul/e. »

Non. Juste non. N'utilisez jamais cette excuse pour tenter de faire oublier les choses pas fines que vous avez dites.

LA BELLE-FAMILLE

~⌘~

Mon père, il aimait pas ben ça Noël. C'est parce qu'il était obligé de suivre ma mère jusque dans sa famille qui habitait loin. Il fallait rouler deux heures et demie en auto sur la route qui tue pour se rendre au réveillon. Et la voiture était tout le temps trop pleine de tout. Vous vous en doutez : ma mère est une femme prévoyante qui aime parer à toute éventualité. Ça fait qu'en plus des cadeaux, il y avait une glacière remplie de galettes blanches, de pain sandwich et de petits pains au poulet. C'est au cas où on reste pris, qu'elle disait. Elle obligeait aussi mon père à embarquer nos bottes de poils et nos bas de soute. « Juste au cas », parce qu'on pouvait rester bloqués longtemps dans le Parc quand il y avait un accident, surtout quand c'était un face à face.

Mon père n'aimait pas Noël parce que ça voulait dire qu'il serait obligé de parler avec ma tante snob. C'est chez ma tante qu'on réveillonnait. Parce qu'elle était mariée avec un médecin et habitait dans un quartier de riches. « J'aime ça passer Noël avec eux autres », disait ma mère. Ça énervait mon père parce qu'on se rendait bien compte, en l'entendant parler de la grosse cabane de ma tante, qu'elle aurait aimé ça, elle aussi, habiter chez les riches.

Moi, je la trouvais laide la maison de ma tante. Il y avait de la fausse dorure et des cadres avec elle pis mon oncle dedans partout. J'ai toujours trouvé ça bizarre le monde qui mettent des portraits d'eux-autres partout chez eux. Mon père aussi. Il trouvait que ça faisait frais-chié. Ma mère, elle, disait que ma tante était belle comme Elizabeth Taylor sur le cadre accroché en haut du faux foyer.

Mon père haïssait Noël parce que le mari médecin de ma tante invitait d'autres médecins avec leurs greluches. C'est de même qu'il appelait leurs femmes aux médecins, mon père. Toute la soirée, ça parlait de l'hôpital pis de maison de campagne. On n'avait pas ça, nous autres, une maison de campagne. On avait un vrai camp avec une bécosse pis pas d'électricité, pas d'eau courante ni rien. Mon père ne comprenait pas à quoi ça servait d'avoir une maison en ville pis une autre pareille à la campagne. Moi, je ne comprenais pas à quoi ça servait d'aller s'encabaner toutes les fins de semaine dans un *shack* chauffé avec une truie, pour boire du gin et jouer aux cartes. Et j'avoue que j'aurais aimé ça pouvoir parler de mes weekends à la campagne à l'école le lundi.

Mais c'est l'année où ma tante a fait venir un traiteur que mon père s'est vraiment mis à détester Noël. Quand on est arrivés chez elle, il y avait des garçons habillés en pingouins partout. « C'est la nouvelle mode », a dit ma tante. Ma mère jubilait. Tellement qu'elle a dit à mon père que l'année d'après c'est nous autres qui allions recevoir pis qu'elle aussi, elle aurait des serviteurs.

Vers minuit ce soir-là, les serveurs ont commencé à monter le buffet. Et ma tante a fait le tour des invités pour leur dire que ça allait coûter 30 dollars par personne. Mon père était en furie. Il a dit à ma tante pis à son mari riche de laisser faire le buffet, qu'il allait se commander du St-Hubert Barbecue. «Tu parles d'une ostie de gagne de BS!», qu'il a dit à ma mère, sur la route du retour.

Depuis ce temps-là, j'adopte l'attitude de mon père, rapport à ma belle-famille. Je vais chez eux à Noël pis au jour de l'An et je passe toute ma soirée à les juger. Ça défoule et paraît que, si on ne veut pas attraper le cancer, faut rien garder par en dedans.

L'ARGENT

Impossible d'écrire un livre sur le couple sans parler d'argent. On l'a vu, l'argent fait partie des sujets tabous. C'est claire-ment une source de tension et de chicane notoire au sein des ménages québécois. Je soupçonne d'ailleurs que les chicanes d'argent transcendent les frontières de notre belle province, mais concentrons-nous sur notre propre situation.

Dans mon couple, on est assez mauvais avec l'argent. On est du style à le dépenser quand il y en a et à s'en passer quand on en a plus. Sauf que, quand on atteint le fond de la tirelire, ça crée du stress. On ne peut plus faire comme quand nous étions des étudiants et manger du Kraft Dinner toute la semaine (même si nos enfants seraient bien contents). Non, il faut offrir une variété d'aliments sains et nutritifs à nos héritières, effectuer le paiement de l'hypothèque et du prêt automobile à temps. S'ajoute à ça les nombreuses factures de cellulaires, d'électricité, de gaz, de câble et d'internet. Nous croulons littéralement sous les comptes. Et c'est sans compter nos cartes de crédit, *loadées* depuis que nous avons effectué des rénos d'urgence afin de sauver notre maison de l'écroulement. Bref, l'argent, on essaie de ne pas trop y penser, mais on y pense pas mal sans arrêt.

C'est fatigant parce je me dis que, si on gérait mieux nos affaires, on en aurait plus d'argent. En même temps, on ne fait aucune folie. C'est arrivé juste une petite fois que je m'achète des vêtements griffés ou qu'on se paie un voyage à Paris. Bon, c'est peut-être arrivé deux ou trois fois, finalement. Je vous jure qu'en dehors de ces écarts passagers, on vit comme des moines.

On écoute seulement la télé sur Netflix.

On achète tout le temps la marque de savon à linge en spécial.

On roule le tube de pâte à dent afin d'utiliser tout son contenu.

On mange des restes.

On se fait des lunchs.

On ferme les lumières quand on quitte une pièce et on programme le chauffage à 18.

On ne roule pas en Volvo.

Même si on fait tout ça, on est toujours cassés pareil. C'est pas mêlant, dès qu'on a notre paie, elle fond comme neige au soleil. Parait qu'on n'est pas les seuls, mais ça me déprime pareil, bon.

LES RÉNOS

J'ai un problème : j'aime les vieilles maisons. Mais Délicieux Mari et moi ne sommes pas manuels. Je veux dire pas pantoute manuels. On est du genre à lire les instructions sur la boîte avant de changer une ampoule. J'exagère à peine. Toujours est-il qu'on a acheté une maison presque centenaire malgré ce fait, nous disant qu'on paierait des gens pour la rénover à notre place. Naïfs, nous étions.

Au moment de faire inspecter notre future demeure ancestrale, l'inspecteur y est allé d'une révélation choc. Les fondations à l'arrière étaient complètement à refaire. Panique, stupeur et tremblements. Le soir venu, nous nous sommes longuement questionnés à savoir si, oui ou non, nous allions nous embarquer dans pareil chantier. L'inspecteur nous avait bien spécifié que ça coûtait très cher, refaire une fondation. Mais il nous avait aussi dit qu'on pourrait négocier le prix de notre maison de rêve en conséquence. Et c'est ça qu'on a fait. On a acheté la maison aux fondations pourries et nous nous sommes installés dedans. On se disait qu'on se lancerait dans le grand chantier l'an prochain, qu'on avait un peu de temps pour voir venir. C'était jusqu'à temps que la madame de l'assurance habitation s'amène et nous annonce que, si nous ne faisions pas réparer la fondation au plus sacrant, aucune compagnie d'assurance ne voudrait nous couvrir pour les dommages causés par l'eau.

Zen jusqu'au bout des ongles, j'ai donc joint un entrepreneur spécialisé en fondations afin d'obtenir une soumission. L'entrepreneur a envoyé chez nous un chargé de projet. Il a fait le tour de notre propriété avec son pad de notes et un grand sourire et m'a dit qu'il allait nous l'arranger, notre maison. Quand j'ai reçu la soumission, mon cœur a failli arrêter de battre. « Ben voyons donc », j'ai pensé, ça ne pouvait pas coûter ce prix-là faire venir une pépine et couler un peu de béton dans le sous-sol ? Je veux dire, c'était toujours ben juste de la roche et du ciment dont on avait besoin. Ça fait que j'ai appelé une autre compagnie, persuadée que celle-là voulait juste se graisser sur le dos des pauvres non-manuels qu'on était. La soumission de la deuxième compagnie fut un peu plus élevée que la première. « On a une technologie spéciale », le gars m'a dit avec sa face de fier.

Je capotais, j'angoissais et j'invoquais tous les saints du ciel. Je disais aussi à Délicieux Mari qu'on avait fait l'erreur de notre vie et qu'on aurait jamais dû acheter la maudite maison en ruines même si on la trouvait belle, qu'elle était sur la même rue que l'école des filles et à un jet de pierre de la garderie. On aurait été mieux dans un condo en carton ou dans un bungalow neuf. Délicieux Mari m'a gentiment souligné qu'un condo avec quatre chambres coûtait pas mal plus cher que notre maison (rénovations incluses) et que la banlieue, on haïssait ça. Je suis redescendue de sur mes grands chevaux pis on a rappelé l'entrepreneur numéro un pour qu'il débute le chantier.

Je ne savais pas que venait de s'amorcer le plus long mois de ma vie. Je ne sais pas si vous le savez mais détruire des fondations, aussi effritées soient-elles, ça fait un vacarme et une poussière incroyables. C'est pas mêlant, je pensais que la maison allait s'effondrer. Toute la journée, je travaillais au rythme des outils venus de l'enfer qui, j'en étais certaine, viendraient à bout de ma santé mentale. Et, même si toutes les fenêtres étaient fermées, une couche de poussière sournoise s'étendait désormais sur les planchers, les meubles et le chien.

Quand ils ont eu fini d'anéantir mon terrain et ma patience, le contremaitre du chantier m'a annoncé que ma maison était bâtie sur le roc. Je ne savais pas encore que cela équivaudrait à une facture beaucoup plus salée, au final, ça fait que je lui ai fait un sourire niaiseux et lui ai offert un grand verre de limonade, qu'il a refusé. J'imagine que les gars de construction ont une étiquette : tu n'acceptes pas la limonade de la cliente que tu viens de plumer. Rétrospectivement, j'ai trouvé ça gentleman de sa part.

Nous vivions dans un nuage de poussière, ma cour arrière était pire qu'un champ de bataille et nous devions retirer des sommes astronomiques de notre compte de banque. J'étais contrariée parce que j'en revenais pas de payer ce prix-là pour des rénos qui ne paraitraient même pas. J'aurais aimé mieux investir cette fortune empruntée à la banque dans une cuisine et des planchers neufs. En plus, ça nous aurait coûté pas mal moins cher. Mais ça ne fonctionne pas de même, selon Délicieux Mari. « On ne met pas un plasteur sur un cancer », il n'arrêtait pas de me répéter. Des paroles pleines de sagesse, il est vrai. N'empêche que la tension montait et qu'on a fini par se chicaner non-stop à cause de « la crisse de poussière » et notre compte de banque dont le solde était désormais sous le point de congélation.

J'ai toujours ri du monde qui manque divorcer à cause des rénovations. Pas qu'on ait passé proche de la séparation, mais disons que je comprends mieux, asteure, comment on peut en venir à vouloir s'entretuer dans le processus. Alors si vous pensez à vous lancer dans des rénovations, même mineures, assurez-vous que votre couple soit plus solide que la maison. Et, surtout, apprenez à respirer par le nez même si l'air est plein de poussière. Nous, il nous reste encore pas mal de travail à faire sur notre maison centenaire. Mais c'est la nôtre et on l'aime. « Elle a du cachet », on se dit, comme pour se consoler.

LE MÉNAGE

Le ménage est, selon tous les sondages de la terre, la deuxième source de chicane dans le couple après l'argent. Mes parents ne faisaient pas exception à la règle. Chez nous, on pouvait manger par terre et admirer notre reflet sur le prélart de la cuisine. Ma mère passait ses grandes journées à frotter, à classer et à faire du lavage. Pis quand je lui disais que ç'a n'avait pas de sens, elle me répondait que c'était sa passion, le ménage. Je la croyais parce que ma mère regardait tous les films en pliant du linge. Je veux dire que c'était impossible de regarder une vue à côté d'elle qui faisait rien.

Une fois, mon père s'est fâché après ma mère pendant qu'on regardait *Retour vers le futur*. Il lui a dit qu'il allait crisser le VHS par la fenêtre si elle arrêtait pas de plier des débarbouillettes pendant le film. C'est parce que pendant qu'elle pliait le linge, ma mère ratait des scènes. Pis après, elle posait plein de questions à mon père parce qu'elle ne comprenait rien à l'histoire. Mais ma mère aimait mieux que les débarbouillettes soient pliées que savoir si Marty McFly et Doc allaient réussir à réparer la DeLorean.

Chez nous, le linge était vraiment plus blanc que blanc. Et c'était grâce à la laveuse de ma mère pis à sa façon de faire le lavage dedans. Il fallait faire tremper le linge blanc dans la cuve remplie d'eau bouillante mélangée à une tasse d'eau de javel toute la nuit. Pour le linge pâle, c'était de l'eau tiède pis pas d'eau de javel que ça prenait. Ma mère lavait les couleurs foncées avec un savon spécial pour que le noir reste noir pis elle se faisait une fierté de ne jamais aller chez le nettoyeur. «Donne-moi ta robe en satin avec une tache de vin dessus, je te jure que je vais en venir à bout», qu'elle a dit à la voisine, une fois. Ma mère a redonné la robe le lendemain et elle était encore plus neuve que quand la voisine l'avait achetée. Oui, ma mère était meilleure que madame chasse-tache.

Pas mal plus tard, pour faire plaisir à ma mère, mon père lui a acheté une laveuse pis une sécheuse à chargement frontal pour sa fête. « Le vendeur m'a dit que c'est la nouvelle grosse affaire », il lui a expliqué. Ma mère a fait semblant d'être contente et a commencé à faire son lavage dedans en bougonnant parce qu'on ne pouvait plus rien faire tremper. « Ça lave pas cette affaire-là », elle me disait. « Pis en plus, ça pue. » Ma mère s'était convaincue que la moisissure était pognée dans sa laveuse parce qu'elle pouvait pu faire tremper du linge avec de l'eau de javel dedans toute la nuit.

Pas longtemps après, on est allé faire un tour chez ma tante riche, la sœur de ma mère. Ma tante a dit à ma mère qu'elle venait de s'acheter une nouvelle laveuse. Elle était ben mieux que celles à chargement frontal normales parce que la sienne avait un piton trempage. Ma mère était dans tous ses états. Ma tante et ma mère ont passé trente minutes dans la salle de lavage en bas chez ma tante à regarder la laveuse. Après, elle a dit à mon père de descendre. Elle voulait lui montrer et lui faire sentir la laveuse de ma tante. Mon père l'a regardée et l'a trouvée pas mal belle. La laveuse, je veux dire. Il a dit à ma mère qu'elle avait raison : la laveuse de ma tante sentait meilleur que la nôtre.

La semaine d'après, mon père est retourné au magasin et a dit au vendeur de reprendre sa cochonnerie. Il a acheté la même laveuse que ma matante à ma mère pis le soir, ma mère pis mon père ont écouté *Mission Impossible* pendant que le linge trempait.

J'aimerais ça être comme ma mère et être obsédée du ménage. Chez nous, le ménage doit être la dixième source de chicane. Et quand on vient en maudit à cause de lui, c'est parce qu'il n'a pas été fait depuis deux semaines. Ni Délicieux Mari ni moi ne sommes obsédés par la propreté. Une chance, parce qu'avec deux enfants (bientôt trois) et un chien à poils longs, on virerait fou.

Une fois, on a engagé une femme de ménage parce que, comme je viens de le dire, torcher ce n'est pas notre fort. Eh bien figurez-vous donc que ça me stressait à mort de savoir qu'une femme de ménage, une femme qui accorde forcément de l'importance à la propreté et à l'ordre, donc, allait venir mettre le nez dans mon bordel. Alors je faisais comme ma mère et je nettoyais la maison la veille. Pathétique, même si tout le monde le fait. Le pire, c'est que la femme de ménage ne trouvait même pas mon ménage beau. «Faudrait que je vienne plus qu'une fois par semaine, madame», elle me disait. Et là, je me justifiais en disant que j'étais nulle dans ces affaires-là. Une bonne fois, elle m'a dit que je ne pouvais pas avoir de talent dans tout, que le mien, c'était d'écrire des livres. Mais je voyais bien à son ton et à sa tête que je ne possédais pas LA qualité primordiale pour être une bonne mère et une bonne épouse, à savoir l'obsession du balai. Je ne l'ai plus rappelée, après. Et le ménage est revenu hanter nos chicanes, mais juste un peu.

LE MAUDIT LAVAGE

~∽

Tant qu'à être dans le maudit ménage, parlons de cette cala-
mité qu'est le lavage. D'emblée, il faut que je vous avoue
quelque chose : je n'ai pas de corde à linge. Pourtant, j'adore
admirer les vêtements colorés de mes voisins suspendus
dans le vide. Oui, les cordes à linge sont intimement liées au
paysage des ruelles montréalaises, et je serais bien triste de
les voir disparaitre. Par contre, en les observant bien, je réalise
que les cordes à linge sont le porte-étendard de notre névrose
collective, rapport au linge propre. Tout le monde a sa façon
d'étendre. Ma mère, elle, a pour son dire qu'on ne doit pas
mélanger les sortes de vêtements. Il est hors de question
d'étendre des serviettes avec des chandails ou de faire coha-
biter les draps contours avec les guenilles. Ma mère aime
bien, aussi, trier son linge par couleur. Et elle m'a toujours
dit que la corde à linge rendait le blanc plus blanc et les
couleurs plus vives. Je pense que c'est vrai. C'est à cause des
effets des rayons du soleil ou une affaire de même. Me semble
qu'ils doivent en parler en quelque part sur Wikipédia, mais
je chercherai une autre fois.

Là, je vous entends penser. Vous vous dites que c'est bien
beau les théories de la corde à linge et voulez savoir pourquoi
j'en ai pas. La raison est simple. Je suis trop fainéante pour en
gérer une. J'en ai déjà eu une, une corde à linge, dans mon
ancienne maison. Une fois sur deux, il mouillait avant que
j'ai eu le temps de détendre mon linge. Vous voyez, moi aussi
j'ai une névrose liée au lavage, mais elle semble être à l'opposé
de celle de la majorité de la population. J'haïs ça faire sécher
de la guenille. La plupart du temps, le linge propre échoue
dans le panier pas plié et finit par se mélanger avec le linge
sale tellement ça fait longtemps qu'il traîne dans ma chambre.
J'ai comme une névrose du pliage et du triage. Je déteste ça,
bon. C'est pour ça qu'ici, c'est Délicieux Mari qui a pris les

choses en main. Désormais, c'est lui qui s'occupe de laver, sécher, plier et ranger nos habits, serviettes, housse de couette et autres bas sales. Toute la maisonnée s'en porte mieux. Finito, les blitz de sentage de fonds de bobettes et le regardage de tsour de bras pour savoir si c'est sale. Nos vêtements sentent bon et, même si Délicieux Mari range parfois les pantalons de la plus vieille dans le tiroir à pyjamas de la plus jeune, je lui suis très reconnaissante. Je sais, je pourrais me forcer un peu. Mais Délicieux Mari a tant de talent pour s'occuper de mon linge. Et je suis un peu lâche, je l'avoue.

LES ANIMAUX
DE COMPAGNIE

Vous le savez : j'aime ça les animaux. Je vis d'ailleurs avec un colley et une dizaine d'escargots. Les escargots, ce n'est pas de ma faute. Je les ai ramassés dans la ruelle pour faire plaisir aux enfants et ils ont fini par pondre des centaines d'œufs au fond du vivarium que je leur ai aménagé. C'est vraiment dégueulasse et je rêve secrètement que lesdits escargots meurent de leur belle mort très bientôt. Le seul problème, c'est que j'ai regardé sur Wikipédia. Parait que ça vit 15 ans ces bibittes-là. Mais je m'égare.

Délicieux Mari, lui, n'aime pas beaucoup les animaux[8]. C'est parce qu'il trouve que c'est beaucoup d'ouvrage. Et il a raison. Il faut les nourrir, les dresser, les brosser pis les faire sortir pour pisser. Les chiens, je parle. En plus, c'est mieux si on les flatte.

J'ai toujours eu des animaux. Quand j'étais petite, j'avais juste besoin de dire à mon père que je voulais un cochon d'Inde et je l'avais. C'était pas comme ça avec les autres parents. J'avais pas besoin d'expliquer pourquoi j'en voulais un et de promettre de m'en occuper. Mon père trouvait ça instructif, les animaux. Ça fait qu'il m'en achetait tout le temps. J'ai eu des cochons d'Inde, des hamsters, des chiens, des chats, des lapins pis des chevaux. Même qu'une fois, j'ai eu un suisse.

Pour le suisse, c'est un accident. C'est parce qu'il y en avait toute une famille dans le toit. Ma mère les haïssait parce qu'ils couraient dans le plafond la nuit et l'empêchaient de dormir. Elle aimait ça dormir, ma mère.

---

8 Sauf le chien, qu'il dit, lorsqu'il fait semblant de le flatter et de le trouver beau.

Un matin, juste après que je sois partie pour l'école, ma mère a demandé à mon père de mettre des pièges pour tuer la famille de suisses qui vivait au-dessus d'elle. Quand je suis arrivée de la maternelle, il y avait un bébé suisse dans le piège. J'ai demandé à mon père ce qu'il allait faire avec. Mais il n'a pas osé me dire qu'il s'en allait le noyer comme les autres. Au lieu de ça, mon père m'a dit qu'il l'avait attrapé pour moi et qu'il allait lui construire une grande cage qu'on placerait sur la galerie. Il était de même, mon père. Il aimait pas ça que j'aie de la peine.

Mon père a exhumé de la broche à poule de la remise pour construire la cage à Peanut. C'est comme ça que j'avais baptisé le suisse. La cage faisait à peu près six pieds de haut pis mon père avait mis un petit aulne dedans. « Il va être comme dans une vraie forêt », il avait dit. Mais Peanut n'était pas une poule et il s'est évadé en passant à travers les trous de la broche. Ma mère était contente, parce qu'elle avait une sainte peur de Peanut. « C'est sale ces affaires-là, ça transporte toutes sortes de maladies », qu'elle criait à mon père la fois où on a rentré Peanut dans maison.

La fugue de Peanut n'a pas duré longtemps. Le lendemain matin, je l'ai trouvé en train de manger des graines de tournesol sur le bord de la porte-patio, juste à côté de la porte de sa cage. Je l'ai pris et je l'ai remis dedans. Mon père, lui, a pris ses pinces *longnose* et a arrangé tous les trous dans la broche à poule pour plus que Peanut passe au travers.

On a gardé Peanut tout l'été. À la fin, il faisait la belle pis roulait sur lui-même comme un petit chien. Ma mère lui a même donné des graines de tournesol, une fois. Mais elle a dit à mon père que c'était hors de question qu'il rentre dans la maison encore. Et l'hiver approchait. Un soir, en arrivant de la maternelle, mon suisse n'était plus dans sa cage. « Il est retourné vivre dans la forêt ». Mon père a dit ça, au lieu d'avouer qu'il l'avait noyé comme il avait noyé son père, sa mère, ses frères pis ses sœurs. Le printemps d'après, j'ai vu un suisse qui mangeait des graines d'oiseaux sur le patio. J'étais certaine que c'était Peanut qui était revenu. Il avait les mêmes rayures pis toute. Mon père a dit qu'il était certain que c'était Peanut lui aussi, mais, quand je suis venue pour le flatter, il m'a mordu la main jusqu'au sang. Mon père m'a pris dans ses bras et m'a amenée me faire vacciner contre la rage.

Le lendemain, il m'a acheté un chinchilla à l'animalerie Jonas. Il l'a installé dans la cage à Peanut et a bouché tous les trous dans le toit pour ne plus que les suisses se fassent des niques dedans. Après ça, on n'a plus jamais entendu rien courir dans le toit.

LE SPM: TEMPÈRE
ET OBTEMPÈRE

Un homme de mon entourage m'a confié avoir développé une technique très efficace pour contrer le SPM de sa blonde. Comme moi, sa blonde a un SPM prononcé. Autrement dit, les hormones la frappent en pleine face. Moi, c'est pas compliqué, une semaine avant d'avoir mes règles, je pourrais tuer un joueur de hockey de 6 pieds 4 pouces à mains nues tellement je l'ai mauvaise. Je sais que beaucoup de femmes sont épargnées par le syndrome prémenstruel. Mais dans ma famille, le SPM, c'est comme une de nos spécialités.

Il n'y a rien à faire contre le SPM. Toute une gang de charlatans dit qu'on peut prendre un supplément de calcium magnésium, des tisanes ou d'autres granules homéopathiques qui marchent pas. Un docteur m'a même prescrit la pilule anticonceptionnelle, une fois, dans l'espoir de me délivrer de la bête qui s'empare de mon âme une fois par mois. Ce ne fut pas un franc succès. J'étais encore plus enragée et, en plus, j'avais une peur bleue de faire une embolie pulmonaire. Je suis légèrement hypocondriaque et je suis toujours rendue sur Doctissimo. Je dis ça juste pour que vous le sachiez.

Mis à part les antidépresseurs, donc, j'ai tout essayé pour venir à bout de mon SPM. Et la seule chose qui marche, c'est d'attendre que ça passe. De dédramatiser quoi. Je le sais que dédramatiser, c'est justement la chose la plus difficile à faire en période prémenstruelle, mais il faut essayer. Quant à Délicieux Mari, il applique religieusement le principe de notre ami. Il s'agit de la technique tempère et obtempère. En clair, ça veut dire que si je pogne les nerfs après une affaire pas de rapport, il ne va pas se tuer à me faire entendre raison et à me démontrer que j'exagère. Il va plutôt chercher à me faire descendre de sur mes grands chevaux par l'humour ou je ne sais trop quel stratagème. Parfois, ça marche. D'autres fois, non. C'est là qu'il faut obtempérer. Délicieux Mari me donne alors raison sur toute la ligne et, s'il est chanceux, je réalise le ridicule de la situation. Mais, habituellement, je ne réalise rien pantoute et j'ai la sensation très agréable d'avoir remporté une victoire essentielle au sein de notre duo conjugal.

Tonique pour SPM *

Mesdames, toute jeune femme moderne qui se respecte devrait savoir préparer un tonique. Je conçois très bien qu'aux premiers abords, ses ingrédients et sa préparation peuvent sembler révoltants. Mais sachez que cette décoction a fait ses preuves dans ma famille à la belle époque.

Le tonique éloigne les états nerveux et l'irritabilité. Pour celles qui ont le cœur bien accroché ou simplement pour que cette tradition ne sombre pas dans l'oubli.

──────────── INGRÉDIENTS ────────────

- 1 grosse chopine de crème à cuisson et la même quantité de vin rouge
- Coton à fromage

──────────── PRÉPARATION ────────────

- Faire frémir la crème à cuisson en faisant bien attention qu'elle ne bout pas.
- Ajouter le vin (Ne vous surprenez pas, le mélange caille à ce moment.).
- Couler le mélange dans un coton à fromage.
- Verser le liquide dans un bocal et le boire.

──────────

* Ma grand-mère suggérait à ses ouailles de se reposer durant le traitement.

LE MULLIGAN

∽

Les joueurs de golf amateurs savent sans doute déjà ce qu'est un Mulligan. Mais pour ceux qui seraient aussi ignorants que moi rapport à la chose golfique, sachez que le Mulligan viendrait du Golf Country club de Montréal de Saint-Lambert. On raconte qu'un joueur, appelé docteur Mulligan pour être plus précise, aimait bien frapper des balles de golf avec ses amis entre ses consultations. Mais le bon docteur avait la mauvaise habitude de se pointer en retard sur le green plus souvent qu'autrement. Comme il était pressé, il se garrochait sur le départ numéro un, où ses amis faisaient le pied de grue, sans s'être réchauffé ni avoir frappé de balles pour se pratiquer. Pas besoin d'avoir la tête à Papineau pour savoir que le premier coup que frappait Mulligan était, souvent, un désastre. Ses amis lui laissaient donc rejouer une balle. C'est cette balle qu'on rejoue en ignorant la première qui s'est vue nommer Mulligan.

Ici, vous vous demandez sûrement en quoi le coup spécial du docteur Mulligan a rapport avec le sujet qui nous intéresse, à savoir la vie à deux. C'est que Délicieux Mari et moi appliquons quasi quotidiennement le principe du Mulligan à notre vie amoureuse. En clair, ça veut dire que, comme le bon docteur, on se donne à chacun une chance de se reprendre. Je vais vous donner un exemple, comme ça vous allez mieux comprendre comment ça marche.

Mettons que c'est le matin et que je me lève particulièrement de mauvaise humeur. Allez-y, imaginez la scène suivante : je descends de mon lit, je me traîne sans faire de bruit jusqu'à la cuisine dans l'espoir de pouvoir me couler un triple expresso avant que ma progéniture ne se pointe et réclame des crêpes au sirop d'érable et du jus d'oranges fraichement pressées. Je n'ai même pas le temps d'appuyer sur le bouton de la cafetière que j'entends déjà des petits pas dans l'escalier. « Mamaaaaaaaaan, on veut que tu nous fasses tes toasts dorées spéciales et ça se pourrait-tu de les manger devant *La reine des neiges*. Dis ouiiiiiii, maman. », elles me supplient, en me tournant autour. Je m'exécute pendant que Délicieux Mari roupille, en haut. Je casse un œuf, je mesure le lait et le sucre et je prépare le pain perdu réclamé. Finalement, je m'assois avec mon café une heure plus tard dans les maritimes, pendant que l'homme de la maison dort (encore) profondément. C'est là que je commence à avoir des pensées irrationnelles et vaguement haineuses. Je me dis que c'est toujours moi qui se lève pour les enfants, qui prépare le déjeuner et qui nettoie le bordel dans la cuisine. Je m'imagine comme la victime d'un grand complot patriarcal et je suis persuadée que je suis la mère la plus exploitée de Rosemont. Bien entendu, toute une partie de mon cerveau fait de gros efforts pour oublier que Délicieux Mari se lève plus souvent qu'à son tour, fait du meilleur pain doré que moi et écoute parfois 244 épisodes des *Avengers* de suite avec les enfants pour me laisser dormir. Mais je nie avec force cette réalité indéniable et me mets à attendre impatiemment que mon époux daigne se lever pour lui faire des faces bêtes.

À 10 heures, je commence à faire du bruit. Je veux dire vraiment beaucoup de bruit. Je pars le robot culinaire, je passe la balayeuse et j'envoie les enfants jouer en haut, juste en face de la porte de chambre de leur père. Ce n'est pas trop long qu'il se lève, Délicieux Mari. Je l'entends descendre l'escalier et je le vois qui s'avance vers moi, la bouche pâteuse et le sourire aux lèvres. « As-tu bien dormi ? », il a le culot de me demander. Je le fusille du regard, lâche un soupir qui en dit long et lui réponds que « Oui, mon chéri, comme une princesse », sur le ton le plus ironique du système solaire. Presque instantanément, je réalise que Délicieux Mari n'a rien fait pour mériter un tel traitement puisqu'il est un père et un amoureux exemplaire la plupart du temps. En plus, il m'a laissé dormir jusqu'à onze heures, hier, et m'a fait deux œufs bacon quand je me suis réveillée. «Mulligan», je dis, pour annuler mon air de bœuf et éviter une dispute matinale dont nous pouvons tous les deux nous passer. J'embrasse mon mari et lui offre du pain doré. On vient de l'échapper belle.

Comprenez-vous le principe? On se sert du Mulligan quand on sait qu'on a réagi trop intensément, qu'on a été bête gratuitement et qu'on veut éviter que la situation ne dégénère en conflit armé. Mais attention, on ne peut pas utiliser le Mulligan trop souvent, parce qu'il perd de sa force. On ne peut pas non plus en user à tous vents ou s'en servir pour des choses très graves. Je le sais, c'est compliqué. C'est pour ça que je vous ai préparé une liste des situations où il serait mal venu d'user du Mulligan.

Vous couchez avec votre secrétaire.

Vous le trompez avec son ou sa meilleure amie.

Vous videz le compte conjoint.

Vous abimez sa décapotable en emboutissant une voiture stationnée.

Vous buvez trop de Bloody caesar à son party de bureau et finissez par faire un striptease sur la table de conférence, devant tous ses collègues.

Vous menez une double vie.

Vous êtes un espion.

Vous aimez Céline Dion.

En dehors de ces situations nécessitant beaucoup d'explications et, possiblement, une thérapie de couple intensive, vous pouvez appliquer la technique du Mulligan pour dédramatiser certains incidents de la vie à deux et éviter qu'un banal épisode de mauvaise humeur passagère se transforme en rancune infinie. Essayez-le. Vous allez voir, ça fonctionne.

TOUTES DES GERMAINES

⁓

Dans une autre vie, lorsque je travaillais dans un bureau, nous avions l'habitude, avec quelques filles, d'aborder des sujets dits d'intérêt féminin à l'heure du lunch. Ces discussions, qui pouvaient s'envenimer sérieusement, faisaient sourciller les quelques hommes qui s'obstinaient à casser la croûte avec nous. Au début, certains gars se permettaient de commenter le divorce de l'une ou les problèmes avec le service de garde de l'autre mais, très vite, ils comprenaient qu'ils devaient se taire s'ils voulaient conserver le privilège de nos confidences. Ils furent de moins en moins nombreux à nous tenir compagnie à la table des folles. C'est comme ça qu'ils nous appelaient, ceux qui ne venaient plus. Nous l'avons su parce qu'un midi, après que le dernier d'entre eux eut déserté, il fut chaleureusement félicité par l'un de ses congénères d'avoir enfin abandonné «la table des folles».

Au bureau, c'était l'hécatombe. La guerre était déclarée. Mais la vérité, sournoise, n'allait pas tarder à éclater au grand jour. Nos collègues avaient raison. Nous étions la table des folles. Durant les quatre ans où nous nous sommes amusées à décider si Julie devait pardonner à son homme d'avoir sauté la clôture ou si Manon avait raison de reprocher à son mari de ne jamais s'occuper des enfants, nous avons agi en véritables germaines.

C'est mon père qui appelait la femme du voisin Germaine. Je ne comprenais pas parce qu'elle s'appelait Diane. Diane Boisvert. J'avais remarqué que ma mère n'aimait pas ça quand mon père traitait la voisine de «Germaine». Elle levait les yeux au ciel en disant «On sait ben». Un jour, j'ai demandé à mon père pourquoi il appelait Diane «Germaine» dans son dos et pourquoi ça fâchait maman comme ça. C'est là que j'ai appris l'existence de cette race très répandue selon les dires de mon père. Il m'avait expliqué que beaucoup de femmes étaient contrôlantes et qu'elles veillaient à ce que leurs maris n'aient pas plus de deux ou trois mètres de corde. Je ne comprenais pas trop. C'est là qu'il m'a fait remarquer que Réjean, le mari de Diane, ne venait jamais prendre un verre dans le garage avec les autres hommes et qu'il n'allait pas non plus à la chasse à l'automne ni à la pêche, l'été. Réjean n'avait pas de chalet, ce qui était une aberration pour mon père. Il m'a aussi fait remarquer que Diane lui donnait toujours des ordres ou des choses à faire et qu'elle organisait chaque minute de sa journée de façon à ce qu'il n'ait «même pas une seconde pour lui». C'est ça qu'il avait dit. Bien sûr, mon père m'a fait jurer de ne jamais devenir une Germaine.

Au bureau, c'est pour Manon que les choses ont fini par tourner mal. Elle nous racontait depuis au moins trois jours déjà ses problèmes avec son mari. «Il s'occupe pas des enfants. Il m'aide pas avec le ménage et il veut jamais rien faire avec nous.» Personne ne disait rien. Nous savions comment elle était Manon. Personne pouvait avoir raison contre Manon. Après réflexion, je me suis dit que son mari devait le savoir aussi.

Une fois, Simon, qui dînait avec nous depuis le début, a marmonné «Lui en as-tu parlé de tout ça?». S'ensuivirent de longs palabres quant au fait qu'elle avait beau lui expliquer, son mari ne faisait jamais rien de la bonne façon. Il ne savait pas habiller les enfants comme elle. Les couleurs n'allaient pas ensemble et ses filles auraient l'air de pauvresses à l'école si elle le laissait faire. Manon donnait aussi en exemple la fois où elle avait découvert un poil dans le lavabo juste après qu'il eut supposément fait le ménage de la salle de bain. Évidemment, elle lui avait déjà parlé de tout ça de nombreuses fois. Mais rien ne changeait. Oh, il faisait des efforts. L'autre jour, il l'avait invitée au restaurant. Mais c'était encore dans un buffet.

Simon a osé lui dire que son mari ne pouvait pas gagner, qu'elle serait jamais contente de rien et qu'elle voulait tout contrôler de toute façon. Il a ajouté que si elle le laissait faire les choses à sa façon, il pourrait la surprendre. C'est là que toutes les filles ont pris la défense de Manon. C'est là qu'elles ont dit à Simon qu'il ne pouvait pas comprendre parce que c'était un gars. Il a roulé des yeux et, le lendemain, il dînait avec le clan ennemi. Personne ne comprenait pourquoi il avait déserté la table. On l'avait pourtant laissé donner son avis. La cafétéria était maintenant une zone de guerre. Nous étions en Germanie.

Mesdames, vous avez cette fâcheuse habitude de prétendre vouloir lâcher du lest tout en tirant sur la corde. C'est une bien vilaine manie. Le mari de Manon, en tout cas, s'en est lassé. Il vit aujourd'hui avec sa secrétaire et les enfants ont choisi de vivre avec lui. Manon dit qu'il est parti avec la secrétaire parce qu'elle a les seins refaits. Il a toujours été comme ça, qu'elle dit. Un maudit cochon.

LES RÉGIMES

Mesdames, je le sais, vous vous trouvez grosses. Ma tante Lise aussi, se trouvait grosse. Tellement que Gérard, son mari, ne pouvait pas la toucher si les lumières étaient allumées.

Matante Lise portait une gaine tout le temps. Ça lui enlevait dix-quinze livres, qu'elle pensait. Ma mère pis ses autres sœurs la traitaient de folle dans son dos. Parce que c'était une belle femme, Lise. Et qu'elle n'avait pas une livre à perdre.

Une fois, Lise a essayé un régime miraculeux. C'est un colporteur qui le lui avait vendu. Trois grosses boîtes avec de la poudre dedans. Gérard était sans connaissance, surtout que sa femme s'était servie de l'argent qu'ils gardaient pour leurs vacances d'été pour payer son régime. Mais Lise s'est justifiée à Gérard en lui expliquant qu'il n'y aurait pas de vacances d'été si elle ne perdait pas dix livres avant le mois de juin. Elle n'allait pas s'exhiber en maillot de même.

Sur les boîtes de régime, ça disait de ne rien manger d'autre. Sinon, la compagnie ne garantissait pas le résultat. Le régime promettait une perte de 10 livres en une semaine si on suivait les instructions à la lettre. Au lieu des repas, Lise devait ajouter de l'eau à la poudre et manger une tasse du mélange. Ça disait aussi qu'elle pouvait boire du thé noir si elle avait faim. Mais Lise haïssait le thé. Et, pour ne pas nuire à son régime, elle ne buvait pas d'eau non plus. Parce que c'était pas marqué sur la boîte qu'on pouvait boire de l'eau.

Au bout de deux jours de régime, Lise est tombée dans les pommes. C'est Gérard qui l'a trouvée sur le plancher de sa cuisine en revenant des quilles. Quand Lise a repris connaissance, Gérard était en furie. Il a menacé ma tante de divorcer si elle continuait ses folleries. « Tu pèses 110 livres mouillée, Lise, ça fait que tu vas m'arrêter ça le maigrissage. »

Mais matante a été voir Madame Boisvert, une genre de sorcière qui vivait dans le quartier, pour qu'elle lui vende un sac
de tisane diurétique. Madame Boisvert avait fait des miracles
pour le mariage de la bonne femme Gilbert. Lise se disait
qu'elle ferait la même affaire pour elle.

Lise a bu de la tisane au lieu de manger pendant une semaine,
en cachette de son mari. Mais, à force de la voir pignocher
dans son assiette, Gérard a fini par s'en rendre compte. C'est
là qu'il a fait ses valises. Il aimait ça, Gérard, le roastbeef, les
galettes à la mélasse pis les patates. Pis il en avait assez de
vivre avec une folle pis de manger de la salade pis de la soupe
aux choux. C'est ça qu'il a dit à Lise, juste avant de claquer la
porte.

Gérard a tout laissé à Lise : la maison, la Chevrolet et le chien.
Et il est allé s'installer chez la grosse Gisèle, en attendant de
se revirer de bord. Lise pensait que Gérard allait se défâcher
pis rentrer à la maison. Mais non. Parce que la grosse Gisèle
lui faisait des galettes. Pis d'autres affaires, aussi.

LE CORPS QUI CHANGE

Mesdames, matante Gemma disait qu'elle avait des veines araignées sur les jambes. C'est comme ça qu'elle appelait ses varices. Le mari de Gemma haïssait les varices de sa femme. Il disait que les jambes de Gemma lui faisaient penser aux jambes de sa mère. Sa mère à lui je veux dire. Et ça insultait Gemma parce qu'elle haïssait sa belle-mère comme personne.

Pour faire partir ses varices, Gemma est allée voir madame Boisvert. Madame Boisvert vendait de l'élixir de jeunesse. Elle le vendait cher mais Gemma était prête à réhypothéquer la maison pour ne pas avoir les jambes de sa belle-mère.

Un soir, Gemma a appliqué l'élixir de jeunesse de madame Boisvert en sortant du bain. Et elle a trouvé que ça sentait pas mal juste le vinaigre son affaire. Elle a pensé qu'elle venait de payer 20 piasses pour du vinaigre. C'était beaucoup d'argent dans ce temps-là, 20 piasses. Madame Boisvert devait avoir besoin d'argent, son commerce allait mal depuis qu'elle ne faisait plus d'anges. C'est ce que tout le monde chuchotait sur le parvis de l'église en tout cas.

Moi aussi mon corps change. Je le sais, je n'ai que 32 ans. Mais disons que les grossesses multiplient mon âge par je ne sais pas combien. J'ai déjà lu dans un livre de Montignac que la femme enceinte produit des cellules graisseuses et qu'elle les conserve après chacune de ses grossesses. Je le sais, c'est déprimant. C'est pour cette raison que j'ai arrêté de lire ces conneries-là et que j'essaie de me détacher du culte des appa-rences. Sauf que c'est loin d'être facile. Depuis deux ans, je me rends compte que j'ai la face plus molle et que je ne peux plus manger le sac de Cheetos au complet sans que mon derrière en subisse les conséquences. L'autre fois, j'en ai parlé avec ma mère. Je lui disais que je me sentais dépérir à vue d'œil et que la mort était proche, au fond[9]. Elle a ri de moi et m'a dit « Attends de voir à la ménopause, tu vas enfler comme un ballon de plage même si tu manges juste des affaires qui ressemblent à l'intérieur du sac de la tondeuse ». J'ai répondu qu'elle exagérait, j'ai raccroché et je suis allée me pincer le gras de ventre devant le miroir plein-pied de la salle de bain. Après, j'ai enfilé mes vêtements de course et suis sortie courir cinq kilomètres en me jurant que la vieillesse allait m'épargner. Je le sais que je me conte des menteries, mais ça me fait du bien. Ça fait que laissez-moi faire.

LA SCIENCE DE
MADAME CHOSE

Pour diminuer l'apparence des varices,
masser les jambes avec du vinaigre de cidre.

---

9   Je réalise après coup que je devais être prémenstruée.

L'INFIDÉLITÉ

Ma mère me disait tout le temps qu'il y a les femmes qu'on marie et qu'il y a les autres. J'espère que je ne vous apprends rien en vous disant que ma mère fait fausse route et qu'il vaut mieux faire partie des deux catégories à la fois au risque de voir son cher et tendre batifoler avec la première adjointe à la direction venue. Permettons-nous ici une digression et soulignons l'absurdité qu'est le titre d'adjointe à la direction. Il va sans dire que le terme « secrétaire » est beaucoup plus approprié puisqu'il ne donne pas la fausse impression que l'homme en question copule avec quelqu'un d'important. L'honneur de l'épouse est sauf. J'en profite pour saluer toutes les secrétaires et les convie à faire partie des deux catégories, même si l'histoire de leur profession leur hurle de n'appartenir qu'à une seule. Je vous laisse deviner laquelle.

Ma mère faisait fausse route, donc. Mais ne vous leurrez pas. Si votre compagnon préfère s'envoyer en l'air avec sa secrétaire-adjointe-à-la-direction, c'est qu'elle a quelque chose en plus. Et ce n'est pas la plénitude de ses hanches ni son abondante poitrine – ou peut-être que si. Non. Ce qui la différencie de vous c'est qu'elle n'est pas vous, justement.

Parce que, avouons-le, vous êtes chiante. Pas étonnant que Jules préfère s'ébattre dans les bras d'une autre. Ça ne faisait pas trois minutes que vous lui aviez dit oui que déjà le coït devenait bimensuel et devait se mériter. Pas question de le laisser poser les mains sur vous sans effort. Ça non. Il lui faut mériter son dû. L'époux doit ramasser ses chaussettes sales, abaisser le siège de la cuvette et oublier sa vie sociale sous peine de voir ressurgir la reine de glace. Impossible pour lui d'aller faire une partie de golf sans endurer vos appels incessants sur son portable ou d'espérer emmener la progéniture au parc sans une liste d'instructions et un horaire détaillé. C'est tout de même étonnant puisqu'il n'y a pas si longtemps, vous étiez sa secrétaire.

RAVIVER LA FLAMME

Chaque dix jours, madame Boisvert distribuait des flacons de verre à celles qui venaient la voir parce que leur mari montrait moins d'ardeur. C'était le cas de Madame Gilbert, qui habitait à côté de l'école. Monsieur Gilbert ne l'honorait plus que très rarement. Et, quand il le faisait, il exigeait que son épouse se glisse sous les draps et que la lumière soit éteinte. Madame Gilbert n'était pas folle. « Il y a une autre femme là-dessous », qu'elle se disait.

Gaétan Gilbert passait de longues heures dans le garage à réparer tout ce qui lui tombait sous la main. Même qu'une fois, il a démonté le moteur de la voiture au complet pour pouvoir le remonter. « C'est pour me détendre », qu'il a dit en rentrant.

Madame Gilbert se doutait qu'il y avait anguille sous roche. Tous les mardis, elle voyait Francine Malenfant se glisser à l'intérieur du garage par le côté de la bâtisse. Francine avait perdu son mari et on racontait partout dans la paroisse que c'était une veuve joyeuse. Madame Gilbert était certaine que son mari s'en donnait à cœur joie avec Francine dans le garage.

Mais Madame Gilbert ne se ferait pas voler son époux par une veuve à la cuisse légère. Elle l'a dit devant tout le monde à la réunion des filles d'Isabelle. C'est là que Ginette Beauregard, sa voisine d'en face, lui a dit d'aller chez madame Boisvert le mercredi pour avoir un flacon. Celui qui contenait un philtre pour ramener un mari et lui redonner ses ardeurs.

Le mercredi soir, madame Gilbert a mélangé le philtre à la crème de céleri de Gaétan. Le lendemain, monsieur Gilbert était un autre homme. Madame Gilbert ne savait pas si c'était parce que Francine avait trouvé un autre homme ou si c'était le philtre mais, depuis le soir de la crème de céleri, Gaétan voulait faire l'amour tout le temps. Même qu'il a voulu s'exécuter dans le garage. Et ça la gênait un peu, madame Gilbert. L'ardeur, elle n'était pas habituée à ça.

LA SCIENCE DE
MADAME CHOSE

Philtre pour raviver la flamme

INGRÉDIENTS

- 1 litre de vin rouge
- 30 g de cannelle et de gingembre moulus
- 8 g de clous de girofle moulu
- 1 gousse de vanille
- 500 g de sucre brun

PRÉPARATION

- Mélanger tous les ingrédients et laisser reposer pendant 10 jours.
- Filtrer et mettre le philtre en flacon.

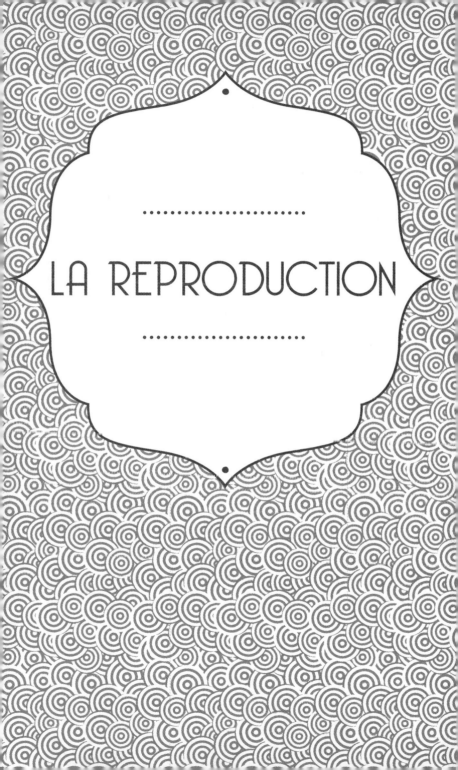

LA REPRODUCTION

Tous les sondages le disent[10] : les enfants sont un frein au bonheur conjugal. Là, vous voulez savoir si je pense que c'est vrai. Oui et non. Avoir un enfant, c'est pas mal la plus belle affaire, mais c'est aussi la plus terrible. Je m'explique. Admettons qu'il y a des choses qui vous énervent chez votre adoré. Mettons qu'elle ne se ramasse pas, qu'il a la fâcheuse habitude de rentrer à quatre heures du matin trois soirs par semaine, qu'elle est un brin Germaine, qu'il dépense toute sa paie au Future Shop, qu'elle veut absolument écouter *Tout le monde en parle* le dimanche, qu'il tient mordicus à sa semaine de gars en République dominicaine. Ce genre de choses. Des trucs qui dérangent, mais pas profondément. Ces petites sources de tensions sont chiantes mais gérables quand on a huit heures de sommeil chacun dans le corps. Vous vivez bien avec ces petites anicroches et, bien que cela donne lieu à quelques prises de becs occasionnelles, vous en riez (la plupart du temps).

Imaginez asteure que vous dormez trois heures par nuit. Pas trois heures collées, là. Trois heures par intermittence. C'est ça, le nerf de la guerre, quand on a un nouveau-né à la maison. Vous le savez hein que plusieurs pays torturent du monde en les privant de sommeil ? Avoir un bébé, c'est un peu vivre à Guantanamo pour quelques mois. Vous êtes privés de sommeil, vous ne mangez pas ou, quand vous mangez, c'est froid. On vous jette de l'urine et des matières fécales au visage, on vous oblige à écouter des DVD de Baby Einstein en boucle et on vous questionne sans arrêt :

---

10 Je le sais, je suis fatigante avec mes sondages. En plus, je ne vous indique même pas de quels sondages je parle. Mais je suis de même. Déontologiquement douteuse, je parle.

Il fait ses nuits ?

L'allaites-tu ?

Est-ce qu'il dort avec vous ?

Combien de points de suture t'as eu ?

Est-ce que tu as pris la péridurale ?

Est-ce qu'il mange des céréales ?

C'est l'horreur et, très vite, vous devenez aussi aimable et patiente qu'un banc de piranhas. Ce n'est plus quand chéri laisse traîner une paire de bas sales en dessous du lit qu'il vous tombe sur les nerfs. C'est quand il respire, vous regarde, termine le pot de Nutella, n'attache pas la couche comme vous le voudriez ou qu'il enfile à bébé un cache-couche qui ne va pas avec son pyjama.

Vous comprenez que la moindre petite altercation peut être montée en épingle et que ses petits défauts, que vous trouviez quasiment mignons avant la venue de votre héritier, vous donnent désormais envie de l'étrangler. Ça, c'est quand ça va bien. Quand le couple connaît des difficultés plus graves avant de concevoir, je peux vous assurer qu'il fonce droit dans le mur. Non, un enfant, ça ne rapproche pas. Ça n'efface pas non plus les vieilles blessures, au contraire. Ça les fait revenir en force, ça vous les jette en plein visage. On ne fait pas un bébé dans l'espoir de se réparer ou de donner des ailes à son couple. Parce que ce petit être, sans même le faire exprès, fera tout pour vous éloigner. Il vous divisera, vous submergera, vous remettra en question et vous fera visiter des sections de votre psyché dont vous ne soupçonniez même pas l'existence.

Je ne dis pas qu'il faut entreprendre une psychanalyse ou une thérapie conjugale avant de penser à procréer. Mais réglez vos bibittes. Parce que vous n'avez vraiment pas envie de vous taper une crise existentielle avec trois heures de sommeil (non consécutives) dans le corps.

QUAND LE DÉSIR D'ENFANT N'Y EST PAS

Peut-être qu'avec tout ce que je viens de vous dire, vous n'avez plus envie de ce poupon rose qui apportera manque de sommeil et remise en question dans votre vie si paisible. Peut-être aussi que vous doutiez de votre désir d'enfant bien avant de lire ses lignes. On va se dire les vraies affaires : c'est mieux de ne pas faire d'enfants si on juge qu'être parent, ce n'est pas pour nous. Ça ne veut pas dire qu'on n'aime pas les enfants et ça ne fait pas de nous un faux couple. Ça ne veut pas dire qu'on n'aura jamais envie de prendre soin de ceux des autres de temps en temps. Ça ne veut pas dire qu'on n'aura aucun regret. Et ça ne veut pas dire non plus qu'on en aura.

Pour être honnête, les parents en ont aussi, des regrets. Parfois, quand je traverse une journée particulièrement difficile, que j'ai du travail par-dessus la tête et que je dois récupérer les filles à l'école et à la garderie à 17 heures, je me surprends à me demander ce qu'aurait été ma vie sans enfant. Je me dis que, si j'étais seule, je pourrais travailler jusqu'à 18 heures pour ensuite me diriger dans un bar pour prendre l'apéro avec des copines. Je reviendrais à la maison vers 20 heures. Là, Délicieux Mari m'attendrait. Il viendrait de rentrer lui aussi. On se ferait des pâtes à la sauce compliquée et on déciderait d'aller au cinéma à 23 heures. On se coucherait tard après avoir consommé notre union et nous nous lèverions à huit heures le lendemain, frais et dispo, prêts à abattre une autre journée de travail hyper stimulante.

Quand je me fais des scénarios du genre, il y a toujours une maudite petite voix fatigante qui me ramène à la raison. Je serais incapable de travailler jusqu'à 18 heures vu que je suis un paquet de nerfs. Les bars, j'haïs ça. Délicieux Mari est professeur d'université, pas avocat dans une grande firme du centre-ville. On aime pas les sauces compliquée et on préfère rester chez nous et passer trois heures à se magasiner un film sur Netflix que de sortir de notre petit nid douillet. En plus, je suis incapable de me coucher passé 11 heures. C'est peut-être à cause des enfants, justement. On ne le saura jamais. De toute façon, la petite maudite voix fatigante me chuchote de me faire une raison. Le petit troisième se cache dans mon ventre et, très bientôt, je vais dormir encore moins et ce pour les deux prochaines années. *Lucky me.*

PASSER À L'ACTE

∾

Ça y est, vous avez décidé de vous reproduire. C'est drôle, la reproduction humaine. Ça nous fait faire toutes sortes d'affaires pas rapport comme prendre hystériquement sa température basale à tous les matins ou demander à son époux de s'exécuter à l'heure exacte de notre ovulation.

Il y a des gens qui attendent que tout soit parfait avant de faire un enfant. Ces gens-là peuvent attendre dix ans afin que toutes les conditions qu'ils se sont imposées soient réunies. Bien entendu, ces conditions peuvent varier d'un couple à l'autre mais, habituellement, ça ressemble à attendre d'avoir payé ses dettes d'études, d'avoir voyagé, d'avoir testé son couple dans différentes situations, d'avoir acheté une maison, d'avoir cotisé à un REER et, finalement, d'avoir fait creuser une piscine dans sa cour arrière.

Je le sais, il y a beaucoup de fois le verbe « avoir ». Comme si les biens matériels allaient nous préserver d'une catastrophe imminente ou faciliter la future vie de famille. Je veux dire, c'est vrai que le confort matériel aide au processus. Mais vous n'avez pas besoin d'habiter un manoir Ronald McDonald ni de faire fabriquer une bassinette en bois tropical équitable par un ébéniste végétalien du plateau pour que votre héritier soit heureux. Un bébé, ça n'a pas besoin de grand-chose, mis à part des couches et en masse de lait. J'insiste sur le en masse de lait. En masse comme dans beaucoup, comme dans vache à lait, comme dans vous ne serez plus capable de vous voir autrement qu'en usine de production laitière. Mais je m'égare.

En gros, c'est pas parce que vous possédez enfin plein d'affaires que tout va automatiquement bien aller. Non, ce n'est pas parce que vous avez un chalet dans le nord, une auto neuve et que vous allez dans le sud deux fois par année que la venue d'un enfant ne fera pas tout voler en éclats. Vos plates-bandes riches en graminées, l'argent que vous économisez chaque deux semaines dans l'espoir d'envoyer futur héritier à l'université et votre char de l'année ne vous placent à l'abri de rien. Et surtout pas de la crise qui subvient inévitablement après la venue d'un enfant.

Mais, comme d'habitude, vous n'en faites qu'à votre tête et décidez tout de même d'accumuler tous les biens matériels que vous croyez nécessaires à la venue de l'enfant. Ne vous en faites pas, j'ai fait pareil. Sauf que pour moi, le confort matériel se résumait à un appartement de seconde zone dans un quartier qui, selon les dires du propriétaire, allait se gentrifier dans pas long, c'est-à-dire jamais. C'est dans un 4 ½ fait sur le long et mal éclairé que ma première fille est née. Avec son père, on avait décidé de construire un mur au milieu de la pièce double qui nous servait jadis de salon. La chambre du bébé serait en avant, là où la seule lumière disponible entrait dans l'appartement. Erreur. La fenêtre donnait sur l'escalier en colimaçon qui menait chez nous et j'ai passé les six premiers mois à paranoïer qu'un maniaque entrait par la fenêtre pour m'enlever ma fille. Résultat : elle a dormi dans notre lit pas mal plus souvent qu'à son tour et j'ai dû déménager pour cause d'hystérie.

L'INFERTILITÉ : UNE BOMBE
POUR LE COUPLE

Je n'ai jamais connu les affres de l'infertilité. Je tombe enceinte d'un claquement de doigt. Bon, c'est une façon de parler. Fallait bien que je trouve une expression non vulgaire que ma mère puisse lire sans rougir. En clair, je tombe enceinte facilement. Genre que pour celui ou celle (je ne sais pas encore s'il s'agit d'un «il» ou d'un «elle» au moment d'écrire ces lignes) que je porte en ce moment, ça n'aura pris qu'une fois. J'entends déjà les mauvaises langues s'exclamer «Oh, Madame Chose ne fait l'amour qu'une fois par mois et elle se permet de nous donner des conseils sur le couple.» Premièrement, ce n'est pas tout à fait ça. Deuxièmement, ce n'est pas vos oignons.

Ce n'est pas parce que je n'ai jamais vécu de difficultés à concevoir que je n'ai pas d'empathie pour celles et ceux qui en ont. Une bonne amie à moi a mis cinq interminables années avant de tenir sa fille dans ses bras. Entre temps, elle a dû se taper les réflexions et conseils de sa famille, de ses ami/es, de ses collègues de travail et de parfaits étrangers.

«Tu y penses trop. Quand tu vas arrêter d'y penser, ça va marcher.»

C'est peut-être la chose la plus stupide à dire à quelqu'un qui essaie de concevoir. Comment tu veux arrêter de penser à ça ? Je veux dire même moi j'y pensais sans arrêt et je n'avais pas d'injections d'hormones à me faire à chaque soir pour me le rappeler.

«Laissez faire la nature.»

Ben justement, elle échoue pas mal la nature dans le moment donc non, je ne vais pas me fier sur elle.

« Ton chum a encore besoin de pratique. »

Juste sans commentaire.

« Pourquoi vous n'adoptez pas ? »

Qui te dit qu'on n'est pas déjà en train de remplir 38 formulaires et d'éplucher tout l'internet parce qu'on est à bout des traitements et qu'on se dit que ça serait peut-être meilleure pour notre santé physique et mentale d'avoir recours à l'adoption ? On se garde juste une petite gêne de t'en parler. Déjà que tu ne te mêles pas *full* de tes affaires.

« C'est peut-être parce que vous n'êtes pas fait pour être parents ? »

Cette réplique-là, je ne sais pas comment mon amie a fait pour l'entendre et ne pas sacrer un coup de poing en pleine face au fâcheux qui venait de la prononcer.

Bref, mon amie a eu à endurer tous les commentaires insensibles et absurdes que la Terre ait pu porter durant les années qu'a duré son combat contre son ventre vide. Et c'est sans compter les effets secondaires très violents du cocktail d'hormones qu'elle devait s'injecter et ingérer au quotidien. Une fois, elle m'a appelée. Elle s'était stationnée sur le bord de l'autoroute 15 parce qu'elle n'arrivait plus à arrêter de pleurer. Quand j'ai répondu, je ne comprenais pas ce qu'elle disait tellement elle braillait. « Es-tu correct ? » j'arrêtais pas de lui répéter. Au bout de deux minutes, elle a réussi à me dire qu'elle était correcte, qu'elle ne savait pas ce qui se passait ni pourquoi elle pleurait et qu'elle faisait sans doute une overdose d'hormones. S'en est suivi un long silence au terme duquel mon amie m'a dit qu'elle arrêtait tout. Les traitements, les inséminations, tout. Finito. Terminé de se sentir comme un rat de laboratoire. Elle était à bout, son chum aussi. D'ailleurs, les deux ne savaient plus trop pourquoi ils formaient encore un couple tellement toutes leurs énergies étaient mobilisées pour ce futur bébé qui ne daignait pas se pointer.

La pause a duré un an. Un an durant lequel mon amie et son chum ont tenté de se retrouver comme amoureux. Ils ont voyagé, travaillé, fait beaucoup de yoga et construit une maison. Mon amie a aussi fait beaucoup de sport. Elle voulait perdre tout le poids que lui avait fait accumuler les nombreux traitements. Trente livres au total. Mon amie s'est inscrite au gym et a consulté une nutritionniste. Son chum, lui, a pris un abonnement au club de golf et s'est inscrit à des cours du soir au HEC. Tout pour ne pas penser à l'éléphant blanc dans la pièce. Tout pour ne pas songer à la chambre du fond, une chambre peinte en blanc qui attendait juste un heureux évènement pour prendre vie.

Leur démarche a porté fruit. Au bout de cette année bien remplie, mon amie a décidé de se rendre dans une autre clinique de fertilité, de recommencer le processus à zéro. Le médecin qui l'a vue a mis en place un protocole d'intervention beaucoup moins invasif que ce qui avait été tenté jusqu'à présent. En gros, cela consistait à inséminer mon amie en ne lui administrant pas ou peu d'hormones. Je ne sais pas trop. J'ai eu un peu de la misère à suivre sur ce coup-là. Mais toujours est-il qu'elle tenait son bébé dans ses bras environ 13 mois plus tard. Maintenant, elle attend son deuxième. Et savez-vous quoi ? Il est venu s'installer dans sa bedaine naturellement, sans aucune intervention médicale. C'est à n'y rien comprendre. Mon amie aime depuis ce temps faire un très mauvais jeu de mot. Elle dit que les voies de l'infertilité sont impénétrables. Ça me fait rire et je suis bien d'accord. Pour les autres, ceux qui sont encore aux prises avec ce genre de problèmes, sachez que je suis de tout cœur avec vous et que je vous trouve plus que courageux de traverser tout ce processus, parfois sans succès. J'aimerais pouvoir vous dire quelque chose d'inspirant, vous sortir la phrase pleine d'espoir qui vous ferait sourire. Mais rapport à ce sujet, on dirait que tout ce qu'on peut dire, c'est des niaiseries. Courage, donc.

LA MERVEILLEUSE AVENTURE DE LA GROSSESSE

Vous êtes enceinte. Je ne sais pas pour vous mais, personnellement, ça me fait toujours un choc de voir la petite ligne rose apparaitre sur le test de grossesse. Je suis de celles qui psychotent et tentent de tester huit jours avant la date prévue de leurs prochaines règles. Pourtant, rendue à ma troisième grossesse, je devrais savoir que même les tests les plus précoces ne détectent pas l'hormone de grossesse si tôt. Mais j'ai une tête de cochon. Qu'est-ce que vous voulez que je vous dise?

C'est la troisième fois que je suis enceinte et, quand j'ai vu que le test était positif, je n'ai pas pu m'empêcher de ressentir un léger stress. Exactement comme si c'était la première fois. C'est fou comme on oublie tout. Après l'avoir annoncé à Délicieux Mari, je me suis mise à angoisser.

Et si je ne suis pas capable d'être la mère de trois enfants?

Et s'il est malade?

Tout d'un coup je le perds.

Me semble que mon bureau est trop petit pour être transformé en chambre d'enfant.

Je n'aurai plus de bureau.

Où est-ce que je vais travailler?

Comment je vais faire pour recommencer à me lever la nuit? Mon dieu, on était si bien. On recommençait tout juste à souffler un peu.

Bien entendu, Délicieux Mari est beaucoup plus zen que moi. Peut-être, aussi, qu'il évite de me parler de ses appréhensions pour ne pas me stresser davantage. Grand bien. L'homme moderne doit comprendre que la femme gestante n'a pas besoin de plus de stress que celui qu'elle s'impose à elle-même.

LE PREMIER
TRIMESTRE

C'est là que vous regretterez amèrement de vous être laissée engrosser de la sorte. Adieu martinis, vin rouge et autres plaisirs de la vie. Vous comprendrez aussi qu'asteure, tout le monde va se mêler de vos affaires. Pour le bien du bébé, qu'ils disent. Vous ne devez pas faire ceci ou cela, vous devriez éviter le tartare et les jaunes d'œufs coulants et, surtout, vous devez prendre vos vitamines prénatales tous les jours même si ça vous constipe et que ça augmente l'intensité de votre mal de cœur. C'est pour le bébé, rappelez-vous en.

Tout à coup, vous vous mettez à aller faire pipi à toutes les demi-heures et vos seins vous font souffrir comme quand vous étiez une adolescente boutonneuse qui trippait sur les Backstreet Boys. Vous développez des envies alimentaires douteuses et vous vous endormez, épuisée, vers huit heures du soir. Les aliments qui vous faisaient envie vous lèvent le cœur et vous tueriez votre mère pour un verre de limonade ou, pire, un chips au vinaigre Yum Yum. Pas Lays, là. Yum Yum.

Les livres sur la grossesse prétendent que nous ne sommes qu'une minorité à souffrir de maux de grossesse. Je m'excuse, mais jamais je n'ai rencontré une femme qui soit passée au travers des trois premiers mois sans anicroche aucune. Oh, il y a bien les Miss parfaites, celles qui ne prennent pas une livre, continue à courir et se nourrissent de kale et de germinations tout en affichant une mine radieuse. Mais je les soupçonne de nous mentir en pleine face, d'appliquer quatre couches de *BB cream* et d'anticernes et de s'enfiler des Joe Louis en cachette.

Je crois que c'est lors de ce premier trimestre que votre époux se doit le plus de voler à votre secours. Que ce soit pour laver le linge sale, récurer le four, donner le bain aux enfants ou répondre à vos caprices alimentaires, il est primordial qu'il mette la main à la pâte. C'est d'une évidence, me direz-vous. Mais sachez que la plupart des hommes s'imaginent que les premiers mois de la grossesse passent comme du beurre dans la poêle. C'est parce qu'on n'a pas de bedaine à ce stade-là, ça fait qu'il s'imagine qu'il n'y a rien à faire. Détrompez-le. Et dites-lui que vous êtes quasiment à l'article de la mort. Mais, si vous ne lui demandez pas d'aide, ne venez pas vous plaindre qu'il fait comme si de rien n'était. Votre chéri ne peut pas anticiper vos besoins, et encore moins lire dans vos pensées.

LE DEUXIÈME
TRIMESTRE

C'est durant ces trois mois bénis que votre corps est supposé vous donner un petit break. Adieu nausées, mal de tête et fatigue intense. Paraîtrait même que certaines femmes ressentent un regain d'énergie et ont le goût d'escalader des montages. Pas moi. Non, moi, je me traîne les pieds jusqu'à la toute fin. Je suis un genre de loque humaine qui ne pense à une chose : dormir et manger des popsicles en quantité industrielle. Ce n'est pas facile pour Délicieux Mari que de m'accompagner dans ma gestation. À ma deuxième grossesse, j'avais une fixation sur le thé glacé. Pas n'importe laquelle sorte de thé glacé. Non. Une seule marque faisait le bonheur de mes papilles et mon cher et tendre devait parfois arpenter les dépanneurs de tout le quartier pour dénicher les dernières canettes, celles qu'on n'avait pas encore achetées. D'ailleurs, je soupçonne la compagnie d'avoir fait des profits monstres dans le quartier Rosemont les quelques mois qu'a duré mon addiction. J'ai par contre dû cesser de boire des hectolitres de ce délicieux nectar puisque celui-ci contenait du ginseng et, qu'à forte dose, cela me donnait des contractions. C'est ce que la sage-femme m'a dit en tout cas lorsqu'elle a constaté que mon col était dilaté à deux centimètres et que j'avais des contractions régulières à 26 semaines. Terminé le thé satanique au ginseng.

LE TROISIÈME
TRIMESTRE

～♪

Je me rappellerai toute ma vie de ce glorieux moment où, trop enceinte pour sortir de la baignoire sans aide, j'ai dû me rendre à l'évidence et appeler Délicieux Mari à la rescousse. Quand il est arrivé dans le cadre de porte, ç'a été plus fort que lui : il est parti à rire. Moi, je me suis mise à pleurer à chaudes larmes. Je me trouvais grosse et laide et immonde. Je n'étais pas capable de voir mes doigts de pieds, encore moins de me raser les jambes. Je vous laisse imaginer (ou pas) l'état de mes parties intimes. Ça devait être la jungle amazonienne, ou quelque chose s'en approchant. Toujours est-il que je ne pouvais pas voir l'étendue des dégâts, ce qui augmentait mon mal de vivre.

Le soir, en me couchant, une seule pensée m'obsédait : « Et si j'accouchais la jambe mal rasée et le pédicure douteux ? » C'était hors de question. Je refusais que la sage-femme qui allait m'aider à mettre bas me voit dans cet état. Non, je ne perdrais pas le peu de dignité qu'il me restait en affichant une hygiène corporelle déficiente. Le lendemain, à la première heure, j'ai sommé mon époux de me raser les jambes et de m'enduire les ongles d'orteils de rouge écarlate. Délicieux Mari, ne reculant devant rien pour satisfaire les lubies de sa femme enceinte, a donc empoigné mon rasoir Venus et on a dit adieu à mes jambes de yéti. Pour le vernis à ongles, ç'a été un peu plus corsé. Je ne pouvais pas voir ce qu'il faisait, mais j'avais la nette impression que Délicieux Mari dépassait, et pas juste un peu. Je ne lui ai pas dit par exemple. Je ne voulais pas passer pour une ingrate capricieuse.

. . . .

L'ACCOUCHEMENT

(OU TOUT CE QU'ON NE VOUS A JAMAIS DIT SUR LE VÊLAGE)

. . . .

J'ai accouché deux fois et accoucherai encore. Ma première fois, c'était à l'hôpital. Je me rappelle qu'un matin, je me suis réveillée avec la sensation affreusement désagréable d'avoir pissé dans mes bobettes. Je me suis levée de mon lit et lesdites bobettes étaient effectivement toutes trempes. Ça m'a pris une couple de secondes avant de réaliser que je n'étais pas incontinente et que je venais juste de perdre mes eaux. Je me tenais debout au milieu de ma chambre quand j'ai compris qu'il valait mieux me rendre à l'hôpital. J'étais primipare et naïve. Et j'ignorais que j'avais encore 12 bonnes heures à attendre avant que le vrai travail commence.

Mon chum de l'époque déjeunait tranquillement dans la cuisine quand j'ai surgi avec le téléphone sans fil dans les mains. « Chéri, je suis en ligne avec la maternité, et l'infirmière nous dit qu'on serait mieux de s'en venir vu que je viens de perdre les eaux. » J'ai raccroché et mon ex a terminé sa toast en avalant de travers. Avec le recul, je pense qu'il espérait secrètement avoir le temps de s'en toaster une deuxième. Mais j'étais trop énervée pour le laisser faire, ça fait qu'on a embarqué ma valise dans la voiture en faisant bien attention d'étendre un sac de vidanges sur le siège passager, histoire que je n'imprègne pas le banc de fluides odorants si jamais venait à l'idée à mon corps, hors de contrôle, d'expulser plus d'eau.

Le trajet jusqu'à l'hôpital Saint-Luc fut interminable et on n'avait pas de carte de crédit pour payer le stationnement. Mon chum a garé la voiture sur les quatre flashs et a demandé au gardien de sécurité de l'hôpital si on pouvait le payer en argent, que sa femme était en train d'accoucher dans l'auto et en proie à d'atroces souffrances. Il exagérait un peu pas mal. Je n'avais aucune contraction et j'écoutais la radio de Radio-Canada en l'attendant. Le gardien nous a dit qu'il allait garer l'auto, de revenir le payer plus tard. Merci gardien, même si on t'a un brin menti.

Fallait prendre l'ascenseur pour nous rendre à la maternité, au cinquième étage. En arrivant au bureau des infirmières, on m'a tout de suite demandé si j'étais celle qui avait perdu ses eaux mais qui n'avait pas de contraction. Je me demandais comment elles avaient fait pour deviner. J'ai compris ensuite que je ne devais pas faire la même face que celles qui arrivaient dilatées à six centimètres et qui contractaient aux cinq minutes.

La maternité était neuve et fabuleuse et claire. Beaucoup trop claire. Les néons m'agressaient déjà et je me demandais s'il y aurait un *dimmer* dans ma chambre privée. Je me demandais aussi si j'aurais accès à un bain tourbillon comme mon accompagnante à la naissance me l'avait dit. «L'hôpital Saint-Luc est un hôpital certifié ami des bébés», elle m'avait expliqué. Je ne comprenais pas trop ce que ça voulait dire, je dois bien l'avouer.

J'accouchais, donc, et il ne se passait pas grand-chose. Une grande infirmière à queue de cheval et à sarreau fleuri nous a installés, mon chum et moi, dans une chambre de naissance. Elle ne nous appelait pas par nos prénoms. Elle nous parlait en nous appelant papa et maman. «Papa voudra peut-être mettre la valise ici?» «Maman, le docteur va venir vous examiner dans moins d'une heure. Appuyez sur le bouton si vous commencez à avoir des contractions.» On va mettre les choses au clair : je sais que les infirmières ne peuvent pas se rappeler des noms de tous les patients, mais elles devraient laisser faire les mamans, papas, petits monsieurs et petites madames. C'est vraiment irritant à la longue. Et ça me rend agressive.

J'étais dans la chambre de naissance depuis deux heures et il ne se passait rien pantoute. Le docteur était venu m'examiner, traînant à sa suite une horde d'étudiants en médecine boutonneux, avides de me tâter le col de l'utérus. Et ce col n'était ni effacé, ni dilaté. C'est là que l'infirmière qui m'appelait maman m'a sommée d'aller marcher un peu. « Maman devrait aller se promener. Allez monter et descendre les escaliers de l'hôpital. Ça va peut-être faire démarrer le travail. » Je m'exécutai donc, futur papa à ma suite. Je me rappelle que, pendant que je montais et descendais les 672 escaliers de l'hôpital, j'en étais venue à la conclusion qu'accoucher, c'est plate.

Je vous passe les détails mais j'ai marché, sauté et fait du ballon d'exercices toute la journée. Toujours rien. Mais la madame infirmière n'avait pas dit son dernier mot. Vers six heures du soir, elle est arrivée avec une poche de Pitocin pis m'a plogué ça direct dans les veines. Là, le fun a commencé. J'ai commencé à avoir des contractions, et ça ne faisait vraiment pas de bien. Mon chum ne savait pas où se mettre pis moi non plus. J'ai pesé sur le piton censé appeler les garde-malades. Je voulais la péridurale. L'infirmière, toujours la même, a retonti dans ma chambre et m'a examinée. J'étais seulement ouverte à deux centimètres. Fallait que je patiente. « Mon dieu, maman, vous n'avez pas fini. Il faut vous endurcir. » C'était officiel, je l'haïssais. Je l'ai détestée jusqu'à temps qu'elle me propose d'aller dans le bain tourbillon et qu'elle se mette à me masser le dos parce que mon chum était visiblement dépassé par les événements. De toute façon, il me tombait sur le gros nerf et je voulais qu'il retourne lire son maudit livre de philosophie dans la chambre de naissance.

J'étais dans le bain et je ne me comprenais plus. J'avais chaud, j'avais froid, je tremblais et j'avais mal. À un moment donné, je me suis mise à hurler. Je voulais l'épidurale. Je voulais que l'anesthésiste me la fasse tout de suite. Je voulais qu'il m'injecte sa patente dans les yeux, au pire. L'infirmière a dit que le médecin allait venir m'examiner. Je devais sortir du bain par exemple. Si j'étais rendue à six centimètres, il allait pouvoir me faire la piqure qui soulage tout. Sinon, je devrais patienter encore un peu. J'ai hurlé que je ne patienterais pas une seconde de plus. Ça n'a pas eu l'air de l'impressionner ben ben. Garde fleurie en avait vu d'autres, des hystériques.

Le trajet pour retourner à ma chambre a été pire que le débarquement de Normandie. Je veux dire, personne n'est mort sous les balles ennemies, mais c'était un genre d'apocalypse des entrailles. Heureusement, le médecin n'a pas été long à arriver. Après un examen en règles du col de mon utérus, il m'a donné son go pour la piqûre magique. L'anesthésiste est arrivé dans la chambre et a fait sortir tout le monde. J'ai commencé à avoir peur. Je les avais entendus, les histoires d'aiguille longue comme une broche à tricoter et de femmes qui restent paralysées. L'anesthésiste m'a expliqué qu'il allait me piquer entre deux contractions et que je ne devais sous aucun prétexte bouger pendant l'injection. J'ai demandé ce que je devais faire si, admettons, j'avais une autre contraction pendant qu'il procédait. Il m'a regardé comme si j'étais la plus conne de l'univers et a juste répété que je devais impérativement rester immobile. Je devais aussi essayer de respirer le plus discrètement possible. J'avais le goût de le prendre par le collet et de lui hurler au visage que « Hey, t'as-tu déjà accouché, toi ?! » Mais je me suis retenue. Il m'a étendu la sauce frette qui ressemble à de la marinade à côtes levées dans le dos et l'infirmière qui était restée avec lui, et dont je venais tout juste de remarquer la présence, m'a tendu un petit plat pour que je vomisse dedans. Franchement, voir si j'allais vomir, j'ai pensé, juste avant de dégueuler de la petite bile jaune dans le plat.

L'anesthésiste m'a fait la piqûre de la salvation et, assez vite, je n'ai plus rien senti. C'était le paradis. Je me disais qu'accoucher, il n'y a rien là, finalement. Je pourrais lire, jouer aux échecs et appeler mes amies avec le téléphone dans ma chambre. Erreur.

Presque instantanément, tout le corps s'est mis à me gratter. Ça me grattait comme si 4 milliards de punaises de lit s'étaient donné le mot pour me dévorer vivante. Je capotais. Mon chum aussi. Tellement qu'il a appuyé sur le bouton d'urgence pour que l'infirmière à sarreau fleuri rapplique au plus sacrant. Sauf qu'elle avait fini son chiffre et qu'on a dû faire face à une nouvelle venue, une infirmière grecque avec un fort accent exotique. Pas que ça me dérange les accents, en temps normal. Mais là, étant donné l'état dans lequel je me trouvais, je comprenais juste rien à ce qu'elle me racontait. J'aurais pris des sous-titres, comme. En même temps, je me disais que c'était peut-être mieux que je la comprenne pas, qu'elle allait moins me tomber sur les nerfs.

L'infirmière grecque m'a appris que j'étais allergique à la péridurale. «C'est rare, mais ça arrive», qu'elle a dit. Et c'était clair que ça m'arrivait à moi. Parce que tout m'arrive tout le temps. C'est pas compliqué, s'il y a une infime possibilité pour que les choses se compliquent ou qu'il arrive un malheur et que je suis impliquée, vous pouvez être certains que ça va arriver. J'étais allergique à la péridurale et je me grattais sans discontinuer. Une autre infirmière est arrivée dans la chambre. Brune et grassette avec des lunettes rouges trop grosses pour sa face. Elle a injecté de quoi dans mon soluté. «Avec ça, vous allez vous sentir mieux ma petite madame», elle m'a dit avec son grand sourire niaiseux. C'était du Bénadryl qu'elle m'avait injecté. Et je me suis tout de suite sentie comme Renton dans *Trainspotting*. La scène où il est tellement gelé qu'il s'enfonce dans le tapis rouge moelleux. J'étais gelée comme une bine et je me suis endormie sans trop m'en rendre compte. Tout ce que je sais, c'est que l'infirmière grecque m'a réveillée vers six heures du matin et m'a «révélé» que j'étais dilatée à 10 cm. Le temps de la poussée. C'était pas mal surréaliste comme situation. Plein de monde sont rentrés dans ma chambre et l'infirmière a défait le bas du lit. Après, elle a amené une grosse poubelle verte et le médecin est arrivé. Sans exagération, il ne devait pas avoir plus de 19 ans. Genre qu'il aurait clairement été trop jeune pour faire le casting de *Grey's Anatomy*. L'infirmière grecque a commencé à me parler-hurler dans l'oreille. Elle a dit que je devais pousser seulement quand j'avais une contraction. Mais comme je ne pouvais pas les sentir à cause de la péridurale, c'est elle qui me le dirait quand ça serait le bon temps. Je devais aussi relever mes jambes, mais j'en étais incapable vu que la dose que m'avait administrée l'anesthésiste aurait pu geler tout le bas du corps d'un éléphant pour 48 heures. Les infirmières ont été obligées de me tenir les jambes pendant que je poussais. Classe et grâce n'étaient pas au rendez-vous, laissez-moi vous dire ça.

Le médecin a demandé à mon chum s'il voulait regarder l'action. J'ai hurlé que non. Je n'avais pas envie que ma vie sexuelle future soit compromise par la vue de mes parties génitales disloquées. Le chum devait rester à ma tête, COÛTE QUE COÛTE. L'infirmière criait dans mes oreilles.

« Vas-y maman, pousse comme quand tu vas à la selle. »

"Go go go ! Lâche pas. Envouèye ! Envouèye ! Envouèye !»

À un moment donné (j'ai un peu perdu la notion du temps), je lui ai dit que je n'étais pas une équipe de football et que je ne répondais plus de moi si elle continuait à me parler de selle et autres matières organiques. Mon chum était gêné de moi. Il me trouvait bête. Mais c'est pas lui qui accouchait et qui se faisait crier par la tête. L'infirmière m'a chuchoté de pousser un grand coup, une dernière fois si je voulais voir ma fille. Comme de fait, elle était sur mon ventre une minute plus tard, toute blanche et toute fripée. Mon chum est allé prendre l'air. Je le soupçonne d'avoir frôlé l'évanouissement. Moi, ils m'ont transportée dans une autre chambre avec mon bébé et, après avoir tenté de l'allaiter, je me suis endormie, épuisée.

C'est une infirmière inconnue qui est venue me réveiller pas longtemps après. Elle voulait me montrer comment donner le bain à mon bébé. Je lui ai dit que la dernière chose dont j'avais envie dans le moment, c'était d'apprendre quoi que ce soit. Elle est repartie en me jugeant et elle a inscrit « mère inapte » dans mon dossier. Je ne l'ai pas su sur le coup. C'est l'infirmière à sarreau fleuri, qui, de retour le lendemain, me l'a appris au moment de me présenter la conseillère en allaitement. « Je ne sais pas pourquoi elle est allée marquer ça dans votre dossier », elle a dit, pas mal indignée. Je l'aimais finalement, elle. Et c'est elle, pas la conseillère en allaitement, qui m'a montré comment donner le sein comme du monde, en me tenant une boule comme s'il s'agissait d'un hamburger géant.

LA MORT D'UN ENFANT

Il n'y a rien de plus difficile pour un couple que de perdre un enfant. C'est comme l'épreuve ultime. Je ne souhaite à personne de vivre un pareil calvaire. Ça vous rend fou, comme madame Hélène. Dans notre quartier, tout le monde connaissait madame Hélène. Elle vivait toute seule avec sa fille. Martine qu'elle s'appelait, sa fille. Le mari d'Hélène était mort du cœur quand Martine avait trois ans. Ou quelque chose comme ça. Personne n'a jamais vraiment su ce qui lui était arrivé parce que madame Hélène n'en parlait jamais. Martine non plus. Même qu'elle ne se rappelait plus à quoi il ressemblait, son père. Martine l'a expliqué à la maitresse d'école, une fois. C'est parce qu'on devait dessiner notre père et le métier qu'il faisait. La feuille de Martine était restée blanche.

Tout le monde aimait Hélène dans le voisinage. C'est vrai que c'était une bonne personne. C'est elle qui réparait les habits quand madame Bouchard était trop occupée. De toute façon, elle aimait mieux coudre des robes chics pour les femmes de médecins asteure. Ça fait que ma mère et ses amies de femmes préféraient aller voir madame Hélène. Elle travaillait vite et ne chargeait pas cher.

En plus de coudre, Hélène était réceptionniste dans un bureau de notaire. Elle était économe Hélène. Et elle travaillait dur pour payer des études universitaires à Martine. Elle voulait être avocate. C'est ça qu'elle disait.

Un matin, madame Hélène a remarqué des gros bleus sur les jambes de Martine. « Veux-tu ben me dire par où c'est que tu es passée pour te maganer de même ? », elle lui a demandé. Mais la petite n'en savait rien.

La semaine d'après, la secrétaire de l'école a appelé Hélène au bureau du notaire. Elle devait venir chercher sa fille au plus vite. Martine se plaignait de violents maux de tête. Dans l'auto, Martine a vomi. Après, elle a dormi trois jours.

Au début, madame Hélène a pensé à une vilaine grippe. Après, à une mononucléose. Mais le médecin chez qui elle a emmené Martine a préféré l'envoyer à l'hôpital pour enfants. « Juste pour être certain. » C'est là qu'on a annoncé à Hélène que sa fille avait développé une leucémie juvénile.

Martine est morte deux mois plus tard. Elle avait eu 13 ans la veille. Avec ma mère, on est allées au corps. Madame Hélène ne pleurait pas. Et elle accueillait les gens de la paroisse en leur tendant un petit signet avec une photo de sa fille dessus.

Plus tard, j'ai compris pourquoi Hélène ne pleurait pas. C'est parce qu'elle a été voir madame Boisvert deux jours après le décès de Martine. Elle voulait savoir comment parler avec sa fille morte. Elle croyait à la vie après la mort, Hélène. Et madame Boisvert connaissait ça, ces affaires-là.

Madame Boisvert a enseigné à Hélène comment parler avec les morts. « Tu vas t'asseoir dans la chambre de Martine avec du papier pis un crayon. Il faut que ça soit un crayon à l'encre. C'est important. C'est pour pas que tu puisses effacer rien. Tu vas voir que c'est tentant. Pis là, tu vas prendre le crayon et le placer au-dessus de la feuille en pensant très fort à ta fille. Il faut que tu gardes ta main molle parce que sinon, ça marchera pas. Pis là, elle va te parler. Tu vas voir. Martine va te parler. Elle va t'écrire sur le papier. »

Au début, le papier restait blanc. Hélène pensait qu'elle ne gardait pas la main assez molle. Après, elle s'est dit que Martine ne devait pas aimer le papier. Elle a acheté celui sur lequel la petite aimait dessiner. Mais, soir après soir, la feuille demeurait immaculée. Une nuit, elle a fouillé dans l'étui de Martine pour trouver ses crayons d'école. « On sait jamais », elle a pensé.

Puis, Martine est venue. C'est ce que madame Hélène a raconté à ma mère, en tout cas. Au début, Hélène a senti des picotements dans sa main. Et ça s'est mis à écrire. En premier, c'était juste des gribouillis. Mais au bout de trois ou quatre jours, les gribouillis se sont transformés en lettres. Des lettres qui se formaient maladroitement et à l'envers sur le papier. Des lettres qui ressemblaient à celles d'un enfant qui apprend à écrire.

Au bout d'une semaine, la main de madame Hélène a écrit ses premiers mots : maman, Ficelle. Ficelle, c'était le nom du chat de Martine. Puis, la main d'Hélène s'est mise à avoir le tour. Hélène pouvait parler avec sa fille. Et celle-ci lui répondait sur la feuille. Madame Hélène était certaine de ça.

Hélène a abandonné la couture pas longtemps après. Pour pouvoir parler avec Martine tout le temps. Et elle s'est aussi mise à écrire les conversations qu'elle tenait avec sa fille morte dans des cahiers Canada qu'elle trainait toujours avec elle. Parce que, si au début, la main ne pouvait qu'écrire dans la chambre de Martine, elle en était maintenant capable n'importe où.

Même qu'une fois, en essayant une robe au magasin, elle a dit à la vendeuse de l'excuser un instant, le temps qu'elle demande à sa fille si elle préférait la verte ou la bleue. Après, elle avait écrit dans le cahier en parlant tout haut. Cette fois-là, la vendeuse, une amie de ma mère, a appelé l'ambulance. « J'avais pas le choix. Madame Hélène a besoin de soins. Ça n'a plus de bon sens, son affaire », qu'elle a expliqué à ma mère, le soir, au téléphone.

Dans le quartier, tout le monde pensait que madame Hélène était en train de virer folle. Sauf ma mère. C'est parce que madame Hélène est venue la voir pas longtemps après que la main se soit mise à écrire. Martine avait un message pour ma mère. Elle faisait dire qu'elle allait veiller sur moi comme ma mère le lui avait demandé dans ses prières, mais qu'elle ne l'aiderait pas à voler le poste de directrice des Filles d'Isabelle à la femme du notaire. C'était une bonne personne, Martine. Comme sa mère.

SURVIVRE À LA VIE DE FAMILLE

Ma deuxième fille est née à la maison. C'est peut-être pour cette raison que Délicieux Mari et moi avons eu beaucoup plus de facilité à s'adapter à la venue d'un nourrisson dans notre vie. C'est sans doute aussi parce qu'on était présinistrés. Nous partagions déjà notre existence avec la sœur aînée de cette nouvelle petite merveille, ce qui faisait de nous des parents aguerris, que nous pensions.

L'arrivée de bébé deux ne s'est pas faite sans heurts. Qu'on se le dise, passer de un à deux enfants, pour un couple, c'est difficile. On dirait qu'avec un seul, tout est plus facile. On peut dormir au même rythme que le nourrisson et organiser son horaire en fonction de celui-ci. Mais, surtout, on n'est pas obligés de s'occuper d'un autre enfant qui demande tout autant d'attention, sinon plus, que le nouveau-né.

Quand plus personne ne sait où donner de la tête, c'est le couple qui écope. Nous n'avons pas échappé à cette règle mais, très vite, nous avons réagi. Ce n'est pas vrai que j'allais échouer un second mariage. Que non. Fortement marquée par les erreurs du passé, j'ai entrepris ce que j'appelle un sauvetage du couple. En clair, ça signifiait qu'on ne laisserait pas les enfants avoir raison de notre amour. Il fallait s'accorder du temps, mettre nos priorités aux bonnes places et accepter toute l'aide qui nous venait de l'extérieur. Je n'en reviens jamais quand j'entends des parents avouer qu'ils n'ont pas pris de vacances ensemble depuis la naissance des enfants, il y a dix ans. Pour nous, le temps passé à deux est sacré. Et même si on n'a pas toujours (jamais) le budget pour s'envoler vers Paris ou pour un week-end à New York, on essaie de s'accorder du temps entre adultes à la maison. Ça veut dire que les enfants ne se couchent pas à dix heures du soir et, qu'à un moment donné, c'est le temps des parents. Les filles comprennent très bien ce que ça veut dire et filent dans leur chambre. Essayez-le au lieu de plier des brassées de lavage ou de pitonner toute la soirée sur votre téléphone intelligent. M'est d'avis que si les couples passaient plus de temps ensemble après la naissance des enfants, le taux de divorce chuterait drastiquement.

LE SEXE (!) APRÈS
LES ENFANTS

Ahahahah! Passons à un autre sujet. Sans blague, sachez que le sexe après les enfants, ça se peut tout à fait. Par contre, ne vous attendez pas à essayer toutes les positions du Kâma-Sûtra deux semaines après avoir accouché. Premièrement, il y a peut-être la douleur physique qui vous en empêchera. Deuxièmement, il y a ce nouveau corps dans lequel vous ne vous sentez pas nécessairement à votre avantage. Une chose est certaine, vous n'arriverez pas à batifoler si vous vous mettez trop de pression. Alors relaxez et dites-vous que le sexe reviendra de façon graduelle et, surtout, naturelle. Il n'y a pas de règlement qui dit qu'on doit impérativement copuler trois fois par semaine un mois après avoir accouché.

AVOIR UNE VIE EN
DEHORS DE SON COUPLE

~⌒

S'il est important de s'accorder du temps en couple, ça l'est tout autant de s'en accorder à soi. Je sais, je sonne comme Guy Corneau, mais j'ai raison. Moi, je n'ai pas besoin de sortir un ou deux soirs avec des ami/es pour sentir que j'ai une vie. Je suis du type solitaire et pantouflarde. L'idée d'un bon film lovée dans les flancs de Délicieux Mari m'enchante habituellement plus qu'une virée à La buvette chez Simone. Mais, parfois, j'ai besoin de prendre l'air et de dire des niaiseries avec des gens que j'aime et qui ne sont pas Délicieux Mari.

La plupart du temps, je dois me botter le derrière avant une sortie de filles. Je me dis que je suis fatiguée, que j'ai du travail ou que c'est injuste de laisser le souper, les devoirs, et l'heure du bain incomber à mon époux. Sauf que dès que je passe la porte de la maison, je me sens un peu plus légère. Surtout que mon mari m'encourage à sortir et n'a aucune difficulté à prendre la maisonnée en charge.

Arrivée au bar ou au resto préalablement choisi durant un échange de 324 courriels entre mes amies et moi, je me surprends à n'avoir aucune pensée pour mes enfants, le ménage qui laisse à désirer ou l'article que je dois terminer pour le lendemain. J'écoute les filles me parler de leur job, de leur famille, de leur rupture ou du condo qu'elle voudrait donc s'acheter et, à mon tour, je leur raconte mes affaires. Étonnamment, je parle assez peu des enfants ou de ma vie de couple. Peut-être parce que pour moi, tout roule. Peut-être aussi parce qu'en parler, ça me ferait trop penser à eux. J'essaie de les oublier l'espace d'une soirée, rappelez-vous en.

Habituellement, je rentre tôt. Je le sais, je suis plate. C'est juste que j'haïs ça me coucher tard pis avoir la gueule de bois, le matin, quand mes enfants se lèvent à 6 h 02. Mais même si je suis la plus *dull* de la gang, ça me fait toujours un bien fou de prendre un peu d'air. Et quand je reviens chez nous, après avoir entendu toutes les plaintes et doléances de mes copines, j'apprécie encore plus Délicieux Mari et la vie qu'on s'est fabriquée.

Cocktail pour une soirée de filles

L'été, ma mère et ses amies de femmes aimaient boire du vin blanc avec des pêches dedans. Et elles ont essayé, sans succès, d'en faire boire à leurs maris. Ils trouvaient que c'était une boisson de femmes, eux autres, le vin aux pêches. Dans ce temps-là, mon père me donnait 20 piasses pour que j'aille au dépanneur acheter une caisse de Laurentide pour les hommes. Les vrais hommes je veux dire. Parce que Réjean, le mari d'une des amies de ma mère, en buvait, lui, du vin aux pêches. Les autres hommes disaient que c'était parce qu'il devait être gai, au fond. En plus, il n'était pas bon chasseur, Réjean.

———————————— INGRÉDIENTS ————————————

- Une bouteille de vin blanc (Mesdames, choisissez un vin fruité. Personnellement, j'utilise le Naja, un vin espagnol qui présente des notes de pamplemousse et de kiwi mais qui a une belle acidité.)
- 4 à 5 pêches.

———————————— PRÉPARATION ————————————

- Couper 2 pêches en quartiers.
- Vider la bouteille de vin blanc dans une carafe et y ajouter les quartiers de pêches.
- Couvrir la carafe de façon à recréer une sorte de bouchon.
- Réfrigérer au moins deux heures.
- Servir dans des verres très froids avec un quartier de pêche.

LES CRISES
(OU DORMIR SUR LE DIVAN)

Apparence que tout couple normalement constitué fera face
à des remises en question au cours de son histoire. La pop
psycho parle de la crise des trois, cinq et sept ans. À vue de
nez, j'aurais tendance à croire la même chose, à quelques
nuances près. Il est vrai que le couple traverse des tempêtes
périodiquement, mais de là à dater l'époque où surviendra
inévitablement la crise, il y a une ligne que je refuse de fran-
chir. Je veux dire, chacun a sa propre histoire et, parfois, ça
arrive que le bât blesse au bout de six mois. Ça devrait vous
sonner une cloche, par exemple. Si vous vous engueulez
tempête avec votre nouveau chum à ce stade de la relation, je
ne donne pas cher de votre peau dans cinq ans. Parce qu'au
début, on est supposé être en extase devant l'autre. Ça s'appelle la phase fusionnelle. C'est le temps où on ne se rend pas
compte que celui qui partage désormais nos nuits ronfle
comme une moissonneuse batteuse. C'est la période où ses
défauts nous apparaissent comme des qualités, où on prend
plaisir à essuyer le cerne qu'il a laissé dans le fond de la baignoire. On trouve *cute* sa manie de ne jamais fermer les
portes d'armoire ou de ne pas être capable de payer sa facture
de cellulaire à temps. Je m'arrête ici, parce qu'on a déjà abordé
cette question dans le chapitre portant sur la magie des débuts.

C'est après que les choses se gâtent, dans la phase de différenciation[11]. La phase de la différenciation, c'est un peu comme
la crise d'adolescence du couple. C'est là qu'on se rappelle
qu'on est un individu à part entière et que la soirée du hockey,
ça nous emmerde, au fond. On se met alors à focusser sur les
portes d'armoire et à porter des bouchons d'oreilles pour

---

11 Oui, je connais des expressions savantes.

dormir. On clame notre indépendance et on réclame à grands cris notre droit immuable au canal Moi & Cie. Habituellement, c'est là que le couple connaît ses premières vraies grosses chicanes. Je ne sais pas si c'est de même chez vous mais, chez nous, les engueulades apocalyptiques débutent toujours à cause d'une niaiserie.

La dernière en liste, en ce qui nous concerne, a commencé à cause du jour des vidanges. À la maison, c'est Délicieux Mari qui est responsable de mettre les poubelles au chemin. C'est parce que ça m'écœure, moi, les ordures. Surtout l'été quand il fait plus 38° et que les verres blancs se font un party dans ma poubelle à l'épreuve des écureuils et des ratons-laveurs[12].

Délicieux Mari sait très bien qu'il doit mettre la poubelle sur le bord de la rue la veille à cause de l'escouade de vidangeurs ninja ultra zélée qui passe le matin, vers 6 h 42. Une fois sur deux, il l'oublie et les vidanges continuent à pourrir jusqu'au vendredi d'après. Bon, vous allez me dire que j'ai juste à y faire penser aux maudites poubelles si ça me fatigue tant que ça. Mais j'ai pas juste ça à faire, moi, rappeler à mon époux que les déchets doivent être mis à la rue la veille au soir. Faut que je songe à qu'est-ce qu'on va manger pour déjeuner le lendemain, à quel linge mou je vais porter pour rédiger l'article que je dois remettre bientôt et, surtout, je dois vérifier qu'il n'y ait pas de nouveaux épisodes de *Grey's Anatomy* disponibles sur Apple TV. Je veux dire, à chacun ses tâches dans un couple.

On a commencé à se chicaner parce que les poubelles avaient été oubliées sur la galerie, donc. Mais ça n'a pas pris deux minutes avant qu'on mette les ordures de côté pour se concentrer sur d'autres vidanges, celles de notre couple. Mon Dieu qu'on en avait donc des choses à se reprocher.

---

12 En passant, si vous n'avez pas de poubelle à l'épreuve de la vermine, je vous encourage fortement à en acquérir une. Ça va changer votre vie et celle de celui qui est responsable de sortir les vidanges.

Tu penses juste à toi.

T'es toujours en train de me surveiller.

T'es parano.

T'es juste une maudite germaine.

T'as juste ça à faire penser aux vidanges.

T'aimerais ça que les enfants et moi on disparaissent pour pouvoir faire ce que tu veux quand tu veux.

T'aimerais ça que je meurs.

On devrait peut-être divorcer.

Tu dramatises tout le temps tout.

Bref, on est passé de zéro à cent en moins de cinq minutes, et ça a dégénéré. Tellement que, rendu au soir, après avoir *faké* une bonne humeur devant mes enfants, j'ai sommé Délicieux Mari de dormir sur le divan. «Par définition, je dors dans mon lit. Que ceux qui ne veulent pas dormir avec moi dorment ailleurs.», il a dit. J'étais bien embêtée. Et je n'allais certainement pas dormir sur le divan.

LES COUPLES QUI DURENT

Je le sais, je vous avais dit que mon livre n'en était pas un où j'allais vous enseigner la recette miracle des couples qui durent. C'est juste que j'avais tout de même envie d'aborder la question, mais sous un autre angle.

Voyez-vous, j'ai remarqué que certains couples, ensemble depuis des années, demeuraient parfois ensemble pour de mauvaises raisons. Avouez que c'est vrai. Je suis certaine que vous en connaissez des couples qui semblent parfaits mais qui, au fond, s'haïssent en secret. J'en connais aussi qui restent ensemble par habitude ou simplement parce qu'ils sont dépendants financièrement l'un de l'autre. En même temps, je me dis que ce qui est une mauvaise raison pour moi n'en est pas forcément une pour l'autre.

Prenez mon amie Solange. Elle se demande, à l'heure qu'il est, quand elle va trouver le courage de laisser Jean-Marc. Solange trouve qu'il la tient pour acquise. C'est vrai qu'il se laisse un peu aller. Il a pris un bon 30 livres et oublie régulièrement de mettre les vidanges au chemin. Mais le pire, qu'elle me raconte en boucle, c'est que quand elle le regarde, elle n'a plus de papillons. Et les papillons sont importants pour Solange. Elle va donc très prochainement envoyer valser 16 années de vie commune pour partir à la chasse aux lépidoptères. Elle est comme ça, Solange.

Ça me fait penser à l'histoire d'un couple d'amis que fréquentaient mes parents. Gisèle et Clément qu'ils s'appelaient. Quand mes parents s'engueulaient, ma mère avait pris l'habitude de comparer mon père à Clément. «Tu devrais me traiter comme il la traite, qu'elle lui criait. Il la traite comme une reine, lui». Mon père dans ce temps-là ne disait rien. Et ça faisait enrager ma mère encore plus. C'est parce qu'elle aimait ça se chicaner ma mère. Elle aurait voulu que mon père l'injurie lui aussi. Mais mon père savait que c'était ce qu'elle voulait. Donc il ne disait rien.

Mes parents se chicanaient souvent. J'étais certaine qu'ils allaient divorcer. C'était la mode de divorcer dans ce temps-là. Dans la rue où on habitait, tous les parents avaient divorcé. Mes parents étaient les seuls encore ensemble. Je trouvais ça vraiment étrange parce que je savais que plusieurs couples du quartier s'étaient séparés pour moins que ça.

Mon père avait recouché avec son ex-femme. Avant ma mère, il avait été marié trois ans avec une autre. Louise qu'elle s'appelait, son ex. Elle habitait à 700 kilomètres de chez nous, mais un soir mon père a franchi la distance qui le séparait d'elle pour aller régler ses vieux démons. C'est ça qu'il avait dit à ma mère en tout cas. Il lui avait aussi juré que c'était arrivé juste une fois et qu'il ne recoucherait plus jamais avec Louise.

Mais un an plus tard, à cinq heures du matin, Louise a appelé chez nous. C'est ma mère qui a répondu. Elle lui a dit qu'à chaque fois que mon père partait en voyage d'affaires, c'était pour venir la voir. Même à Noël, l'année d'avant, lorsqu'il avait dû quitter d'urgence parce qu'il risquait de perdre son plus gros client, il avait avalé les 700 kilomètres proscrits pour se rendre jusqu'à elle.

Je me rappelle des cris et des hurlements quand ma mère a raccroché. Elle traitait mon père de chien, de salaud et de d'autres choses aussi. Cette fois-là, mes parents se sont battus. Mon père a abandonné la bagarre quand ma mère lui a écorché l'avant-bras avec sa manucure française. « Criss de folle », il a crié. Comme pour la punir, il est sorti de la maison et on a été trois jours sans le revoir. Ma mère et moi étions certaines qu'il était mort ou en prison. Mais au bout de trois jours, mon père est revenu la queue entre les deux jambes et a supplié ma mère de le reprendre. « On devrait prendre exemple sur Gisèle et Clément », qu'elle lui avait dit en ouvrant la porte d'entrée bien grande. Et là, j'ai su qu'un jour, ils allaient divorcer.

Cette semaine-là, j'ai attendu que mes parents m'annoncent leur divorce prochain. Mais ce n'est pas arrivé. Les semaines suivantes non plus. Au lieu de ça, Gisèle et Clément sont débarqués le dimanche pour nous annoncer leur séparation. Ma mère était démolie. «Vous faites un si beau couple» qu'elle n'arrêtait pas de répéter. Mais Gisèle et Clément étaient certains de leur affaire. Ils avaient fait le tour. C'est ça qu'ils disaient. «De toute façon, c'est mieux de divorcer quand c'est rendu routinier de même», que Clément avait dit à mon père en fixant la marqueterie.

Après ça, Clément et Gisèle sont partis chacun de leur bord. Gisèle a gardé la maison et Clément a loué un demi-sous-sol. C'est parce qu'il payait une grosse pension à Gisèle. Pour les enfants. Deux mois plus tard, Clément est venu nous présenter sa nouvelle blonde. Elle avait l'air gentille. Gisèle et son nouveau chum ont occupé notre salon pas longtemps après. Mes parents ont continué de fréquenter Gisèle et Clément avec leurs nouvelles flammes respectives pendant un petit bout, après on a arrêté de les voir. «C'est pas pareil maintenant qu'ils sont plus ensemble.» C'est la raison que m'avait donné ma mère pour expliquer leur disparition. C'est vrai qu'ils faisaient un beau couple.

Pendant ce temps-là, mes parents ne divorçaient pas. Mon père avait remis ça, mais avec la caissière du Provisoir. Évidemment, ma mère a fini par le pogner et par lui faire jurer de ne plus recommencer. Même quand elle a trouvé un string sous la banquette arrière de son *pick-up* le printemps d'après, ils n'ont pas divorcé. Ils sont partis deux semaines à Cape Cod.

Gisèle et Clément, eux autres, ont fini par revenir ensemble au bout de l'hiver. Contrairement à leur séparation, cela n'a surpris personne. «On a fait le tour de ça, les histoires de couchettes.» qu'ils ont dit à mes parents en se tenant la main. Ma mère a regardé mon père et lui a dit: «Tu vois? Je te l'avais dit que c'était sa reine.» Mon père n'a rien dit. Mais je pense que ma mère savait bien au fond qu'elle régnait aussi dans le cœur de mon père. Elle disait ça juste pour l'écœurer. Elle aimait ça, écœurer mon père.

Si je vous raconte toutes ces histoires-là, c'est pour que vous cessiez de croire aux contes de fées. Les amours parfaites n'existent pas. Même si vous réalisez soudainement que vous vous endormez chaque soir dos à dos et que l'inconnu à la boulangerie vous fait battre des cils, n'abandonnez pas. Mes parents, bien sûr, ont fini par divorcer. On peut mettre fin à un amour à cause du verre brisé, des hurlements et des coups. On n'abdique pas devant le quotidien.

Quand je vous regarde, j'ai l'impression que ces petits et grands drames qui sont le lot d'un amour qui dure sont devenus des maladies honteuses. À toute vitesse, vous quittez le navire qui coule. Vous balayez la poussière sous le tapis. Vous avez honte du temps qui passe, des promesses non tenues, du désir qui s'étiole et vous fuyez ce tableau dont vous vous êtes lassée.

Les couples qui durent ne sont pas à la mode. Non. Et le côté sombre de l'amour est un tabou dont on ne parle pas. Les papillons, eux, sont au goût du jour. Mais même si vous réussissez à en attraper toute une volée, dites-vous une chose : les papillons ne survivent pas à l'hiver.

DEMEURER ENSEMBLE
À TOUT PRIX

~~⁓~~

Mesdames, je ne vous comprends pas. Je vous croise partout, avec vos hommes, et je suis déçue. Vos regards levés vers le ciel et vos soupirs agacés viennent marteler à quel point celui qui vous accompagne, souvent, vous exaspère. Chaque fois que vous vous tenez devant moi dans cet état une question surgit, abrupte. Pourquoi ?

Prenez Linda, l'une des sœurs de ma mère. Elle avait pour habitude de passer nous visiter le jeudi soir avec son mari. C'est parce qu'ils faisaient l'épicerie ce jour-là, le jour de la paye. Ils venaient toujours après. Mais ils ne pouvaient jamais s'arrêter longtemps. C'était parce que la viande dans le coffre allait passer date sinon.

Ça se passait toujours de la même façon. Ma tante et mon oncle arrivaient et Normand demandait à mon père s'il avait une petite bière. Linda levait les yeux au ciel. Là, les femmes allaient s'asseoir à la table de la cuisine pendant que les hommes buvaient de la bière dans le salon. Les deux gardaient leurs manteaux. C'est là que ça commençait. Linda, pourtant en train de discuter joyeusement avec ma mère, soupirait au rythme de la conversation masculine en arrière-fond. Je ne comprenais pas comment elle faisait pour suivre les deux discussions en même temps. Linda était une femme pleine de ressources. Enfin, c'est d'un ton las qu'elle annonçait qu'il fallait y aller. Et c'est pour la forme que mon père protestait, suppliant Linda de laisser Normand en prendre une dernière. Elle levait les yeux au ciel et disait à son mari de s'en venir. Après, elle regardait ma mère et lui disait, d'un air amusé, que Normand était comme un troisième enfant. Ils en avaient deux. Mais ils ne les emmenaient jamais faire la commande. C'est parce que les garçons aimaient mieux jouer au Nintendo.

Une bonne fois, Normand est venu faire un tour tout seul. Ma mère n'était pas là. Elle était partie se faire laver la tête chez la coiffeuse. Mon père a demandé elle était où, Linda. Elle était avec ma mère. Quand elles pouvaient, elles prenaient leurs rendez-vous en même temps, avec d'autres amies de femmes. Les deux hommes se sont dirigés vers le garage et mon père m'a demandé de leur apporter deux Labatt Bleue. Normand n'était pas comme d'habitude. Il a parlé de la nouvelle caissière du IGA. Je pense qu'il avait oublié que j'étais là. Il disait qu'elle avait tout ce qu'il fallait aux bonnes places. Mon père avait l'air d'accord. Pis c'est là que mon oncle a dit qu'il voulait faire une surprise à Linda pour ses 45 ans. Il allait lui payer un voyage en Europe. Elle aimait ça, Linda, les vieilles affaires pis toute. Mon père a acquiescé et lui a dit qu'avec ça, elle devrait lui sacrer patience pour un bout. Mon oncle avait l'air content.

Il y a deux ou trois ans, ma tante Linda est morte. Elle avait le cancer du sein. On dit que c'est le mal qu'attrapent celles dont le mari a déserté la couche. Au salon, avec ma mère, on s'est mises à parler d'elle. Je lui ai fait remarquer qu'elle était quand même spéciale, matante Linda. Je trouvais ça bizarre qu'ils n'aient jamais divorcé, elle et mon oncle. Ma mère avait l'air étonnée. Comme pour dissiper le malaise, je lui ai demandé pourquoi ils avaient l'air de se tomber sur les nerfs de même alors. Elle m'a répondu que c'était de même, le mariage. Je lui ai redemandé pourquoi elle n'avait pas divorcé d'abord, au lieu d'endurer un homme qui l'exaspérait autant. «Parce que», qu'elle m'avait dit. Je devais vraiment avoir un air ahuri parce que ma mère a senti le besoin d'ajouter: «C'est parce que ça faisait son affaire». Vous me faites penser à matante Linda, tout le monde, des fois.

LA THÉRAPIE DE COUPLE

Ma tante Linda c'est une chose, mais je ne comprendrai jamais les couples qui, de nos jours, restent ensemble juste pour rester ensemble. À quoi ça sert ? Ce n'est pas comme si nous étions encore en 1932 et que les divorcés brûlaient en enfer. Je dis ça, mais je connais des gens dont les familles ont été très froissées lorsqu'ils ont annoncé leur divorce imminent. La mère de Mélissa, une amie à moi, a carrément fait changer les serrures de la maison familiale quand elle a appris que sa fille quittait le père de ses enfants pour un autre homme. « On ne brise pas sa famille pour des histoires de fesses. Tu reviendras nous voir quand tu seras redescendue sur la terre », elle lui a dit au téléphone. Là, vous pensez que Mélissa est originaire de la campagne profonde et que ses parents sont des *born again christians*. Ben non. Mélissa a grandi à Québec et est la fille d'une ancienne psychologue et d'un musicien à la retraite. On est vraiment loin des grugeux de ballus.

Mélissa a eu beau essayer de faire comprendre à ses parents qu'elle n'était plus heureuse dans son mariage, il n'y avait rien à faire. La porte allait rester barrée jusqu'à temps qu'elle se décide à revenir avec son mari. « Faites une thérapie de couple », son père lui a suggéré. Et c'est ça que Mélissa a fait. Pas juste pour faire plaisir à ses parents. Pour se prouver qu'elle avait tout essayé, elle m'a confié, quelques semaines plus tard.

Le thérapeute a commencé par dire à Mélissa que, si elle voulait donner une chance à son couple, elle devait dire adieu à l'autre homme qui faisait battre son cœur. Après, elle et son mari devaient se présenter au cabinet du thérapeute deux soirs par semaine. À 120 $/h, c'était quasiment une autre hypothèque à payer. Mais il n'y a rien de trop cher si c'est pour sauver son mariage, ils ont pensé. Ça fait que Mélissa et son époux se sont vidés les tripes au bureau du psy jusqu'à ce qu'ils aient visité les moindres racoins de leurs rancœurs respectives. Ils avaient même des devoirs à faire rendus à la maison. Fallait qu'ils remplissent chacun un petit cahier dans lequel ils inscriraient tous les moments où ils s'étaient sentis frustrés durant la journée. Au bout de deux semaines, celui de Mélissa était rempli bord en bord.

Je ne me rappelle plus combien de temps a duré la thérapie de couple de mon amie. Je me souviens juste que, tout le long du processus, Mélissa était de plus en plus frustrée et insatisfaite. Chez elle, c'était l'enfer. La tension était, la plupart du temps, à son paroxysme et les enfants en souffraient. En plus, son mari lui demandait sans arrêt si elle pensait à l'autre, si elle communiquait encore avec lui. Et, comme Mélissa n'est pas bonne menteuse, elle était incapable de ne pas lui dire qu'elle n'avait pas complètement effacé cet autre homme de sa tête et de son cœur. C'est drôle parce que, au final, ce n'est pas Mélissa qui a mis fin à la thérapie pour demander le divorce. C'est son mari. Et quand je lui ai demandé ce que ça leur avait donné de se déchirer l'âme de même devant un psy, elle m'a répondu qu'au moins, elle, elle savait pourquoi elle se séparait. J'ai trouvé ça logique, au fond, pis je me suis dit que tant qu'à se divorcer, fallait aussi bien le faire pour des bonnes raisons. Les parents de Mélissa ont eu l'air de penser la même affaire. Ils n'ont jamais rebarré la porte depuis ce temps-là, même quand leur fille leur a présenté son nouveau chum.

LES COUPLES QUI N'ARRÊTENT PAS DE REPRENDRE ENSEMBLE

On connait tous des couples qui se sont séparé huit fois et sont revenus ensemble à toutes les fois. Habituellement, ces couples trouvent toutes sortes de raisons plus ou moins originales pour expliquer à leur entourage leurs nombreuses réconciliations.

Il/elle a changé.

Je me suis rendu compte qu'au fond, je l'aimais encore.

On a travaillé sur nous.

Il/elle m'a promis qu'il/elle s'intéresserait à ma collection de poupées/timbres.

J'ai réalisé que la personne pour laquelle je l'ai quitté ne lui va pas à la cheville (en clair, ça n'a pas fonctionné avec l'autre).

Je n'ai pas grand-chose à leur dire, à ces gens-là, sauf d'arrêter. L'obstination dont vous faites preuve est pathétique. «Lâchez-vous ou mariez-vous.», dirait ma mère. Moi, je dis «lâchez-vous» tout court.

LA SÉPARATION
(OU QUAND ON ABANDONNE)

ÊTES-VOUS MÛRES POUR LE DIVORCE?*

Si vous vous reconnaissez dans plus de cinq des affirmations suivantes, peut-être devriez-vous songer à désunir vos destinées.

- Il vous énerve quand il respire.
- Vous trouvez tout ce qui sort de sa bouche insignifiant ou inintéressant.
- Vous n'avez plus rien en commun.
- Au club vidéo, ça vous prend 40 minutes choisir un film qui vous convient à tous les deux.
- Vous ne vous entendez jamais sur la destination vacances.
- Vous détestez tous ses ami/es.
- Son parfum pue.
- Vous aimeriez mieux vous faire parachuter en zone de guerre plutôt que de l'embrasser avec la langue.
- Il vous faut penser à une autre personne lorsque, rarement, vous avez des relations sexuelles.
- Vous vous surprenez à imaginer ce que serait votre vie sans lui, et ç'a l'air pas mal plus plaisant.
- Vous faites des tours de blocs en auto afin d'avoir un cinq minutes de plus avant de rentrer à la maison.
- Toutes les raisons sont bonnes pour sortir promener le chien.
- Vous ne ressentez plus rien quand il vous touche.
- Vous ne lui trouvez plus aucune qualité.
- Vous lui organisez des vacances sans vous trois fois par année pour enfin avoir la paix.
- Vous avez une double vie.
- Vous élaborez un plan pour fuir le pays et ne jamais être retrouvée.
- Vous magasinez les 4 ½, juste pour le fun.
- Quand vous rencontrez de nouvelles personnes, vous prétendez être veuve.
- Vous écoutez *Un tueur si proche* et vous prenez des notes.

---

* L'utilisation du genre féminin a été adoptée afin de faciliter la lecture et n'a aucune intention discriminatoire.

DIVORCER EN CINQ ÉTAPES FACILES

~⌐

1. Le dire

On ne divorce pas en cachette. C'est une évidence, vous allez me dire, mais pas pour tout le monde. Je connais des gens qui ont attendu d'avoir loué un appart, vidé le compte commun, changer de job et consulté trois avocats avant de dire à leur conjoint qu'il demandait le divorce. Ces gens ont habituellement mis leur famille ainsi que tous leurs amis/es au courant, donc l'époux floué est le dernier à l'apprendre. Non seulement ce n'est pas très gentil, mais ça manque de respect. Alors au nom des années de bonheur que vous avez jadis partagées, ça serait bien de communiquer. Là, c'est le temps de dire les vraies affaires. Vous pouvez même aborder les sujets tabous. Ça aide à faire pomper l'autre et à lui faire accepter l'idée de la séparation plus facilement.

2. Prendre un rendez-vous avec un médiateur

Non, ce n'est pas vrai que vous allez vous diviser la maison, le bateau, le chalet, les autos, les REER, les fonds de pension, le chien, les chats, les escargots, les enfants, les meubles, la vieille coutellerie de votre grand-mère, le contenu de la remise et les albums photos en parfaite harmonie. Personnellement, j'ai déjà failli étrangler mon ex à cause d'un crassule. Pour ceux qui ne le savent pas, c'est une plante grasse appartenant à la famille des *Crassulaceæ*. Vous avez bien lu, je me suis déchirée la chemise parce que je voulais absolument conserver la garde d'un genre de cactus. Avec le recul, je me dis que c'est parce que c'est la seule plante qui ait survécu à mes bons soins et que, pour cette raison, je me suis attachée à elle, mais passons.

3. En parler aux enfants

L'étape la plus crève-cœur, si vous voulez mon avis. Moi, quand je me suis séparée, ma fille avait à peine un an et demi, alors elle ne comprenait pas trop ce qui était en train de se passer. Mais juste à m'imaginer avoir à annoncer la chose à un enfant plus âgé, mon cœur veut fendre. Et, même si j'espère ne jamais avoir à le faire, je me dis que, dans un tel cas, vaut mieux ne pas passer par quatre chemins. Les psys le disent, il faut clairement expliquer la situation. On suggère d'exposer la situation aux enfants sans entrer dans les détails. En clair, on ne dit pas que papa nous a trompée avec la guidoune d'à côté ou que maman n'est plus en amour avec papa parce qu'elle le trouve gros. On dit juste qu'on est plus des amoureux, mais qu'on demeure de grands amis. Et, surtout, on dit que la séparation ne changera rien à l'amour qu'on éprouve pour eux. On sera toujours leur papa et leur maman, c'est juste que, asteure, chacun aura sa propre maison. Je le sais, ça l'air facile à dire de même. Et je suis certaine que la marche à suivre peut différer selon l'âge des enfants, mais garder son calme, éviter de blâmer l'autre et rassurer les enfants semblent des bons points de départ.

4. Se trouver un endroit où habiter

Je sais que la situation financière des couples ne leur permet pas toujours de cesser la cohabitation immédiatement mais, de grâce, évitez de rester ensemble trop longtemps après la rupture. «Prends le sous-sol, je vais prendre le haut de la maison», c'est une fausse bonne idée. C'est mêlant pour les enfants et ça rend les adultes confus eux aussi. Qui n'a jamais éprouvé cette sensation étrange de mieux s'entendre avec son ex après une rupture ? Tout le monde. Et cette sensation nous pousse à commettre des erreurs, comme de recoucher ensemble ou autres gestes qui, au final, font juste du tort et retarde le processus de guérison.

5. Passer à autre chose

Je connais des bonhommes pis des bonnes femmes qui ressassent leur divorce quinze ans après. C'est parce qu'à un moment donné, reviens-en de ton ex-femme. Je sais que tu es persuadé qu'elle t'a volé tout ton argent pis que c'est à cause d'elle si tes enfants ne te parlent plus, mais regarde-toi un peu dans le miroir et tu vas te rendre compte que tout n'est pas si noir ou si blanc.

ÉPARGNEZ LES ENFANTS

En bons enfants du divorce, Délicieux Mari et moi avons dressé la liste des choses qu'on ne fera jamais subir à nos enfants, mettons[13] qu'on se séparerait.

Parler contre l'autre

Habituellement, quand une phrase débute par « Je ne parlerais jamais dans le dos de ton père, mais », c'est mauvais signe. Tournez-vous donc la langue sept fois avant de parler. Éviter aussi de parler dans le dos de votre ex avec votre nouvel amoureux ou avec vos amis lorsque les enfants sont dans un rayon de moins de 10 kilomètres. Même chose quand vous êtes persuadés qu'ils dorment.

Se servir des enfants comme messagers

Rien n'est aussi déchirant pour un enfant que de se faire remplir son sac-à-dos de messages haineux ou de requête à l'intention de l'autre parent. C'est encore pire si on lui demande de demander à sa mère ou à son père si il ou elle pourrait nous redonner ceci ou cela. J'en sais quelque chose. Ne vous servez pas de vos héritiers pour tenter de récupérer le laminé de Van Gogh tant aimé ou la machine à pâtes que vous a offert votre belle-sœur à Noël.

Empêcher les enfants de voir l'autre parent

Je me rappelle que, des fois, mes parents se trouvaient des excuses pour ne pas que j'aille chez l'autre. On partait en vacances, j'avais de l'école le lendemain, c'était pas sa fin de

---

13 Je touche du bois.

semaine, ils annonçaient pas beau au canal météo. Établissez des horaires de garde fixes, mais montrez-vous flexibles. Je sais, c'est contradictoire, mais ça fonctionne. Concrètement, voici comment j'applique ce prétexte. Ça arrive que je permette à ma fille de huit ans d'aller souper avec son père même si ce n'est pas sa semaine. Ça fait plaisir à ma fille, ça fait plaisir à son père et ça me fait plaisir à moi de la rendre heureuse. Tout le monde est content. Ne compliquez pas les choses pour rien. Bon, il est clair que je parle ici d'un contexte familial sain et sans violence. Si vous croyez que votre enfant est en danger[14], vaut mieux demander de l'aide de la part de professionnels et garder l'enfant avec soi, en sécurité, en attendant d'y voir plus clair.

Ne pas être civilisés devant les enfants

Évitez de vous lancer de la vaisselle par la tête, de vous crier après ou de vous traiter de noms. Cela semble d'une évidence et pourtant, je croise régulièrement, à la garderie de ma plus jeune, des parents en instance de divorce qui se déchirent devant les yeux larmoyants de leur enfant d'âge préscolaire. Comportez-vous comme du monde, vous faites dur.

Ne pas s'excuser

Si jamais il vous arrive de gaffer, il est tout à fait possible d'en discuter avec son enfant. Choisissez des mots adaptés à son âge pour lui faire comprendre que vous avez commis une erreur et présentez-lui vos excuses. Votre enfant comprendra que vous n'êtes pas un surhomme et qu'il vous arrive, à vous aussi, de vous tromper.

---

14 Là, je ne parle pas d'une illusion de danger ni des peurs que vous vous faites parce que vous haïssez votre ex. Je parle d'une vraie menace. Je parle de parents violents, irresponsables ou carrément inaptes à exercer leurs fonctions.

LA PENSION ALIMENTAIRE

Ici, je me sens dans l'obligation de mettre quelque chose au clair : on n'est plus en 1986. En gros, ça veut dire que vous ne pouvez pas plumer votre ex comme avant ni lui enlever la garde des enfants sous prétexte qu'un enfant a supposément plus besoin de sa mère que de son père. Maintenant que c'est réglé, parlons de la fameuse pension alimentaire. Vous le savez, hein, que le gouvernement du Québec met à votre disposition un outil de calcul qui permet de savoir le montant que vous aurez, ou pas, à débourser en fonction de vos salaires respectifs ? Oui, oui, vous n'avez qu'à entrer vos revenus dans les petites cases et ça se calcule tout seul en fonction de l'horaire de garde. C'est comme de la magie. Et si vous n'avez pas internet ou êtes trop manchon pour comprendre comment fonctionne le tableau, le médiateur calculera le montant de la pension alimentaire pour vous. N'est-ce pas formidable ? Avec cet outil révolutionnaire, vous ne pourrez plus vous plaindre que votre ex vous prend le trois quart de votre salaire et que vous n'avez plus deux cennes collées ensemble. Vous payerez votre juste part, et ça va finir là. Par contre, ne vous plaignez pas de votre pauvreté si vous avez une peur bleue de votre ex et la croyez quand elle vous assure qu'elle vous déboutera en cours si jamais vous refusez de lui payer ce qu'elle vous demande. On est responsable de ce qu'on laisse les autres nous faire, comme dirait Délicieux Mari.

LE *PARTY* DE DIVORCE

Saviez-vous que les *partys* de divorce sont en voie de devenir aussi populaires que les enterrements de vie de garçon ou de fille? Je le sais, c'est bizarre de fêter un évènement aussi douloureux qu'une rupture mais, une fois que de l'eau a coulé sous les ponts, c'est une façon originale de dire adieu à son ancienne vie et de saluer la nouvelle. Bon, c'est certain que si les procédures de divorce s'apparentent aux combats ayant opposé Mohamed Ali et Joe Frazier, vaut mieux éviter ce genre de festivités. Mais si une paix relative règne entre vous et votre ex, il peut être vraiment amusant de tirer un trait sur votre ancienne relation, entouré de quelques amis proches. Vous pourriez par exemple confectionner un gâteau de rupture sur lequel vous apposeriez deux mariés qui se tournent le dos. Une amie à moi a même préparé un rituel afin de célébrer son célibat. Avec son ex, ils ont pris la couverture qui ornait leur lit conjugal et, en tenant chacun de leur bout, l'ont coupé en deux avec des ciseaux de cuisine. Pour eux, ce geste symbolique soulignait la fin de leur mariage et les autorisait à fréquenter d'autres lits que le leur. J'ai trouvé ça pas mal audacieux, même si je ne suis pas certaine que j'aurais le courage de faire la même chose advenant une séparation.

Gâteau de rupture *

- 2 œufs
- 1 tasse de sucre
- 1/2 tasse de beurre
- 2 tasses de farine blanche non blanchie
- 3 c. à thé de poudre à pâte (levure chimique)
- 1 tasse de lait
- 1 c. à thé de vanille

PRÉPARATION

- Dans un bol, crémer le beurre.
- Ajouter les œufs, la vanille et le sucre et bien battre.
- Dans un autre bol, mélanger les ingrédients secs.
- Ajouter à la première préparation en alternant avec le lait.
- Cuire au four à 350 °F durant environ 30 minutes.

---

* Bien que le gâteau blanc soit délicieux nature, on peut l'agrémenter de confiture maison, des restes d'un sucre à la crème raté ou d'un crémage à la vanille.

DIVORCER EN TOUTE CONSCIENCE

C'est bien beau, se séparer proprement en faisant des rituels, mais je suis parfaitement consciente qu'on ne divorce pas dans la joie et l'allégresse. Après tout, si on s'est rendu là, il se peut fort bien qu'on ait perdu ce qu'il nous restait de zénitude. Il y a toute une tendance en ce moment qui prône la séparation harmonieuse. Le principe du divorce éclairé réside en ceci : il ne faut pas prendre le divorce comme la fin d'une relation, mais comme le début d'une autre. En clair, il faut arrêter de voir le divorce comme un échec. Loin de moi l'idée de cracher sur ce concept plein d'arcs-en-ciel et de ribambelles en forme de cœurs puisque je viens de vous donner mes trucs pour un divorce sans effusion de sang. Mais, comme dirait ma mère «Wô, les moteurs». Il y a une limite à se prendre pour Gandhi. Tout le monde sait que, malgré toute la bonne volonté du monde, il est extrêmement difficile, parfois, de rester en bon terme avec un/une ex, surtout quand le divorce n'est pas souhaité à parts égales dans le couple. Dans cette partie du livre, j'ai essayé de vous donner des conseils, même si j'ai horreur de ce mot. Disons simplement que j'ai tenté de vous partager mon expérience du divorce, mais que ce n'est que la mienne, au final. Faudrait pas que vous preniez tout ça pour du *cash*. Je ne suis qu'une jeune femme de 32 ans, après tout.

Oui, même si je viens de vous raconter ma vie, je suis parfaitement consciente que la vôtre peut être différente et qu'il y a mille autres façons de vivre en couple et de se séparer. Je ne vous dirai pas que c'est facile et possible de survivre à sa vie de couple sans perdre quelques plumes au passage et sans péter un solide câble de temps en temps. Et je ne vous ferai pas la leçon s'il vous arrive de traiter votre ex de tous les noms ou de maudire le jour où il est né. Après tout, je serais bien mal placée pour le faire puisque j'ai déjà descendu tous les saints du ciel plus qu'une fois lors de mon précédent divorce. Divorcer consciemment, je veux bien. Mais il y a toujours ben une maudite limite.

CE N'EST QU'UN AU REVOIR

C'est déjà le temps de se quitter. C'est parce que je n'ai pas juste ça à faire, moi, analyser le couple sous toutes ses coutures et vous raconter ma vie amoureuse. D'ailleurs, je crois que Délicieux Mari va sursauter en lisant certains passages de ce livre. Je ne pense pas qu'il soit conscient de sa propension à laisser les portes d'armoires ouvertes. Ça va sans doute lui donner un petit choc, mais je serai là pour l'aider à passer au travers. Parce que c'est ça qu'il faut faire dans un couple si l'on veut qu'il dure plus que deux ans. Être là l'un pour l'autre même durant les heures les plus sombres. Et croyez-moi, quand mon époux va réaliser que je vous ai confié nos secrets les plus intimes, que je vous ai parlé de nos rénovations et de notre compte en banque, il va faire sombre en tabarouette dans la cabane. J'exagère. Délicieux Mari a un sens de l'autodérision extraordinaire et il adore quand je parle de lui, même en mal. Il est très narcissique, c'est pour ça qu'on va bien ensemble.

C'est ironique quand même de me dire que je viens de rédiger un ouvrage entier sur les relations amoureuses. Vous m'auriez dit ça il y a huit ans et je vous aurais ri en pleine face. Dans ce temps-là, je nageais en plein désespoir et étais plutôt pessimiste face à la vie à deux. Je venais de me séparer, m'astreignais à une discipline sportive olympienne dans l'espoir d'oublier mon désarroi et survivais en mangeant des biscottes suédoises qui goûtent le tapis de yoga. L'amour, j'allais laisser ça aux autres, rentrer chez les bonnes sœurs ou devenir une célibataire digne de *Sex and the City*. Je me demandais comment j'allais y parvenir, par exemple, vu que je suis en amour avec l'amour, que ça fait longtemps que je ne m'intéresse plus à Jésus et que je déteste les Cosmo et les vibrateurs à têtes d'animaux.

Quand j'étais en pleine peine d'amour, ma mère me disait que j'allais m'en remettre, que le temps arrange les choses et que j'en rirais dans deux ans. Sans blague, elle a bien dû prononcer toutes les phrases creuses et vides de sens qu'on ne veut pas entendre lorsqu'on a la conviction profonde que la vie vient de s'arrêter nette. Eh bien elle avait raison, ma mère. Et les phrases creuses étaient finalement de sages paroles. Je m'en suis bel et bien remise de ma douloureuse séparation. Tellement que j'ai recommencé peu à peu à croire en l'amour. Bon, c'est certain que ma *date* avec l'avocat a un peu fait battre de l'aile mon désir de retrouver un jour chaussure à mon pied, mais, après quatre doubles vodka martinis, l'espoir est finalement revenu.

Me voici donc aujourd'hui, en train de vous enseigner ce qu'il vaut mieux taire lors d'une première rencontre ou encore quelles actions sont à éviter en cas de divorce. « Mais pour qui elle se prend ? », êtes-vous peut-être en train de penser. C'est vrai, je n'ai pas plus d'expérience que vous autres en ce qui a trait aux affaires de cœur. Je dirais même que je suis parfois un cordonnier mal chaussé. On est toujours meilleur pour donner des conseils aux autres que pour suivre ses propres conseils, faut croire. C'est pour cette raison que les erreurs dont je vous ai parlé, je les ai à peu près toutes commises. Et je me tromperai encore, je suis certaine de ça. Bien des sujets n'ont pas été abordés dans cet ouvrage et certains n'ont été qu'effleurés. C'est que je ne me sentais pas l'autorité de faire l'exégèse des comportements amoureux humains. Je laisse ça aux psychologues, thérapeutes, sexologues et Louise Deschâtelet de ce monde. J'ai préféré partir de moi et, sauf rares exceptions, vous entretenir sur des choses que j'ai véritablement vécues, quitte à passer pour une folle.

Si j'ai écrit un livre sur l'amour, c'est aussi parce que j'y crois, à l'amour. Je suis intimement convaincue qu'on peut être heureux et épanoui avec la même personne de nombreuses années. Je ne dis pas que je suis une adepte inconditionnelle du « jusqu'à ce que la mort vous sépare ». Je suis rendue un peu trop vieille pour croire aux contes de fées et au Prince Éric. Et, soyons honnêtes, bon nombre de couples auraient avantage à se séparer au lieu de s'haïr au grand jour jusqu'à la fin des temps. Je dis juste qu'avec une bonne dose d'efforts, d'autodérision et d'humour, on peut réussir à prolonger un mariage de nombreuses d'années. Je ne pense pas que l'amour puisse être parfait comme dans *La petite sirène* ou les comédies romantiques. Après tout, il n'y a jamais eu personne pour filmer les amoureux de *The Notebook* ou de *Love Actually* dix ans plus tard. En même temps, ça serait pas mal plus intéressant. Les amours imparfaites et les couples qui surmontent les obstacles que le temps place devant eux sont pas mal plus fascinants que deux personnes qui se frenchent en-dessous de la pluie battante.

Tout ça pour vous dire que je pense qu'on devrait arrêter de passer ce qui fait ou non le bonheur conjugal au rayon X. On devrait plutôt se demander pourquoi on forme un couple avec notre partenaire. Moi, je suis folle de Délicieux Mari et je sais pourquoi. Si vous ignorez pourquoi vous êtes encore en couple avec votre partenaire, prenez une minute pour y réfléchir et écrivez-le sur une feuille en papier. Comme ça, vous pourrez ressortir la feuille quand la tempête fera rage dans votre couple. Parce que c'est vrai qu'au bout du compte, l'amour ne suffit pas. Il y a l'argent, les rénos, les enfants et le démon du midi qui viennent mêler les cartes.

Souvent, j'aime à penser que je vieillirai avec Délicieux Mari et qu'on finira nos jours en se berçant sur une galerie de Rosemont. On se dira qu'on faisait donc dur quand je pognais les nerfs après lui à cause qu'il n'avait pas changé le rouleau de papier de toilette ou qu'il me trouvait fatigante avec ma manie d'acheter trop de souliers.

Dans notre ancien duplex, notre cour donnait sur celle d'un couple de petits vieux. Les deux devaient avoir plus que 90 ans. On ne les voyait pas beaucoup l'hiver mais, dès que l'été pognait, ils passaient la journée longue dans leur jardin. La madame étendait son linge et arrangeait ses fleurs. Le monsieur, lui, bizounait dans sa remise. J'ai jamais trop compris ce qu'il faisait enfermé là-dedans à la journée longue. Je sais juste qu'il sortait quand sa femme l'appelait pour dîner et qu'il rentrait dans la maison avant la noirceur. Ce que je trouvais fascinant, avec mes petits vieux d'en arrière, c'est qu'ils passaient la journée à s'engueuler. La madame reprochait à son époux de perdre son temps à réparer des gogosses inutiles et lui la traitait de fatigante et de Germaine. Au début, Délicieux Mari et moi trouvions ça un brin déprimant de les voir aller. On se disait qu'on espérait ne pas être comme ça lorsqu'on serait vieux. Puis, à force de les observer, on a compris que les vieux amoureux ne faisaient que se tirer la pipe. Fallait voir comment le monsieur se dépêchait de rentrer tout le linge de sa femme dès qu'il se mettait à mouiller et l'ardeur avec laquelle son épouse lui apportait un sandwich au jambon et une petite bière dans la remise pour comprendre que ces deux-là s'aimaient encore. Pas comme au premier jour, non. Mais d'une autre façon. De leur manière bien à eux.

Je pense que chaque couple à sa façon bien à lui de traverser la vie et de se transformer. Et j'espère que Délicieux Mari et moi on va se chialer après comme mes anciens voisins d'en arrière, en se donnant des petits becs secs et en faisant attention l'un à l'autre même si on se tombe sur les nerfs.

DE LA MÊME
AUTEURE

La déesse des mouches à feu, roman, Le Quartanier, 2014

· ·

Vous pouvez avoir des nouvelles
de Madame Chose dans *La Presse +*